LA TERMITIÈRE
de Madeleine Ouellette-Michalska
est le deux cent quatre-vingt-onzième ouvrage
publié chez
VLB ÉDITEUR
et le sixième de la collection «Courant».

Courant:

mouvement dans un sens déterminé. Déplacement orienté. Courant rapide, impétueux.

VLB Éditeur se propose de reprendre, dans cette collection de poche, les textes marquants qui ont déterminé, façonné la littérature québécoise.

LA TERMITIÈRE

(Édition revue et corrigée)

déjà publié

LE DÔME, nouvelles, éditions Utopiques. Montréal, 1968.

LE JEU DES SAISONS, roman, éditions de l'Actuelle, Montréal, 1970.

ENTRE LE SOUFFLE ET L'AINE, poèmes, éditions du Noroît, Saint-Lambert, 1981.

L'ÉCHAPPÉE DES DISCOURS DE L'ŒIL, essai, éditions Nouvelle Optique, Montréal, 1981. Choix des libraires, Prix du Gouverneur général, 1982.

LA MAISON TRESTLER OU LE 8e JOUR D'AMÉRIQUE, roman, éditions Québec/Amérique, Montréal, 1984. Prix Molson de l'Académie canadienne-française 1985. Finaliste au Prix Québec-Paris, 1985.

LA TENTATION DU DIRE, essai-journal, édition Québec/Amérique, Montréal, 1985.

LA FEMME DE SABLE, nouvelles, éditions de l'Hexagone, collection Typo, Montréal, 1987, éditions Naaman, Sherbrooke, 1979.

LE PLAT DE LENTILLES, roman, éditions de l'Hexagone, collection Typo, Montréal, 1987, éditions du Biocreux, Montréal, 1979.

L'AMOUR DE LA CARTE POSTALE, IMPÉRIALISME CULTUREL ET DIFFÉRENCE, essai, éditions Québec/Amérique, Montréal, 1987. Finaliste au Prix Air Canada 1987.

LA DANSE DE L'AMANTE, fiction dramatique, éditions de la Pleine Lune, Montréal, 1987.

L'AVENTURE, LA MÉSAVENTURE, nouvelles, en collaboration, éditions Quinze, Montréal, 1987.

Madeleine Ouellette Michalska

LA TERMITIÈRE

POSTFACE DE MARIE JOSÉ THÉRIAULT

vlb éditeur

VLB ÉDITEUR
4665, rue Berri
Montréal, Québec
H2J 2R6
Tél.: (514) 524.2019

Maquette de la couverture:
Mario Leclerc

Photo de la couverture:
Robert Etchevrry

Photocomposition:
Atelier LHR

Première édition: 1975

Distribution:
Diffusion DIMÉDIA
539, boul. Lebeau
Ville Saint-Laurent, Québec
H4N 1S2
Tél.: 336.3941

À Sylvie G.

Les termites sont de loin les plus civilisés
des insectes.

D. SAURAT

I

Stéphane était le seul garçon que je connaissais dans la classe. Il s'était levé avant la sonnerie du timbre, m'avait regardée et avait dit: «Allons-nous en». Le reste des étudiants avaient suivi, et le professeur n'avait pu les retenir. À la termitière, les chefs de bande jouissaient d'une autorité absolue.

Aucun surveillant ne gardait la porte du couloir principal. Elle s'ouvrit sans grincement sur l'escalier de secours où le vent balayait des poussières chargées de chiffons. Après avoir contourné le bâtiment en silence, nous traversâmes le parking. J'aurais voulu m'asseoir sur le pare-chocs d'une voiture afin de vomir l'odeur de frites et de sueur qui m'était restée collée aux narines, mais Stéphane filait sans se retourner.

Midi approchait. Une somnolence redoutable engluait les alentours de l'école. Le sable hurlait sous nos pas. Je me bouchai les oreilles afin de ne plus entendre le tapage que nous menions.

Stéphane enjamba sa Honda et me fit signe de monter. Il coupa de biais, donna un coup de volant à droite et lança la moto en plein milieu de la rue après m'avoir crié de bien me tenir. Je me cramponnai à lui, les deux bras noués à sa ceinture de cuir. Comme je ne m'étais jamais déplacée autrement qu'à bicyclette ou en voiture, ce corps à corps avec la vitesse m'effrayait. Coupant l'air de plein front, nous doublions les automobilistes, et je craignais chaque fois d'y laisser un bras ou une jambe. Ma peur exaltait Stéphane qui accéléra sauvagement. Je dressai ma folie contre la sienne.

— Ralentis ou je saute.

Il sentit mon étreinte se relâcher et crut que j'exécuterais ma menace. Il freina et se mit à rouler plus lentement. Je commençai à me détendre, apprenant à compenser par un affaissement du corps les soubresauts du véhicule. Je devenais soumise à la mécanique qui me trimbalait. Stéphane m'apprivoisait: il m'initiait aux coups durs et m'apprenait à me plier à ses désirs.

La moto fonçait droit devant elle, avalant les rues dans un sifflement d'air qui perçait les oreilles. À une intersection, nous faillîmes heurter un piéton qui leva sur nous des yeux effarouchés. Stéphane braqua à temps. Il prit le temps d'ajuster son rétroviseur pour signifier qu'il gardait son sang-froid, puis emprunta une rue étroite qui déboucha bientôt sur un terrain vague. Des herbes hautes encombraient la piste cahotante que nous suivions, et la selle absorbait chacun des coups.

Au moment où je commençais à trouver l'équipée pénible et souhaitais retourner à l'asphalte, Stéphane stoppa l'engin. Il tendit la main vers une percée lumineuse remplie de chants d'oiseaux. Devant nous, une nuée d'insectes se disputaient le rectangle de terre sauvage occupé par une roulotte rouge et bleue.

Il tira une clef de ses poches et me fit pénétrer à l'intérieur. Je me frottais les paupières, essayant de discerner les objets tapis sous la couche de chaleur morte qui les recouvrait. Des chromes flambaient partout, exacerbant la violence de l'univers métallique qui s'était refermé sur nous comme une coque.

Ramollie, je m'épongeai le front avec la vieille serviette trouvée sur le divan, et m'allongeai en geignant. Des rigoles de sueur baignaient mes tempes et coulaient en direction du fleuve qui avançait vers moi. L'eau clapotante emplissait l'oreiller où j'enfonçais la tête. Je faisais la planche, portée par une vague large et paisible. Une sorte de bien-être me gagnait.

— La prochaine fois que tu voudras tomber dans les pommes, dit Stéphane, avertis-moi.

Relevant la tête comme une grande malade, j'aspirai une bouffée d'air et avalai une gorgée de l'horrible mélange qu'il me présentait. C'était du gin, peut-être, ou du whisky mélangé à du Coca Cola. Ça engluait le palais d'une saveur qui donnait envie de vomir. Je voulus déposer le verre, mais il me fit signe de continuer. J'obéis. Il aurait pu me demander n'importe quoi. Il était le plus beau gars de la classe, et son mètre quatre-vingt-cinq me faisait battre le cœur.

— Laisse-moi dormir.

Il ouvrit les fenêtres minuscules placées à chaque extrémité du divan. Le Saint-Laurent élargit aussitôt ses vagues. Collée au matelas, je me laissais bercer par elles. Mon pouls s'effritait doucement. — «Dominique, c'est pas possible d'aimer la mer comme toi!» — C'était possible. Je l'aimais tellement que je la voyais partout. «Un jour, renchérissait ma mère en hochant la tête, elle finira par te perdre.»

Des mirages surgissaient au bout des cils, ouvrant des espaces liquides où je m'aventurais pour la première fois. Je gagnais le large, et plus rien ne me rejoignait que cette main qui accomplissait le long de mes hanches le mouvement des marées. Des doigts souples faisaient affluer la vague sous mes seins, et la roulaient vers l'aine où elle s'accumulait.

J'aurais voulu que cela durât indéfiniment, pour le plaisir et parce que je souhaitais gagner du temps. Mais subjuguée par un flirt que m'enviaient les autres filles, je ne savais que faire, que proposer pour retarder une échéance qui m'effrayait.

Je n'avais eu jusque-là que des attachements anodins ou des familiarités sans conséquence qui n'avaient guère compromis mon ignorance. La termitière nous enseignait des tas de choses, mais comment faire l'amour, s'en préserver, n'était pas au programme. Et le silence des parents, en cette matière, laissait entendre que la pratique de la vertu débouchait infailliblement sur le bonheur conjugal, son ronron, sa stabilité.

J'étais loin d'une telle félicité. J'avais peur de tomber enceinte. Je craignais d'être envahie par une

vie non désirée qui gonflerait mes tissus cachés, gran-
dirait jusqu'à dévorer la mienne. Et tandis que j'effec-
tuais des calculs rapides pour savoir jusqu'où je courais des risques, Stéphane s'impatientait.

D'un bond, il se retourna. Lorsque je vis son sexe
dressé au-dessus de moi, je me mis à hurler. Sa main
couvrit ma bouche et me força à m'esquiver entre deux
eaux où il alla me repêcher. Une tornade me secouait
dans tous les sens. Subitement, un jonc dur m'empa-
lait. La douleur éclata, aiguë, au milieu du corps. Puis
il y eut une accalmie et mon ventre dégorgea une touffe
d'algues chaudes qui fit baver du sang entre mes
cuisses.

Stéphane y trempa le doigt et écrivit son nom sur
mon ventre. Ce geste laissait entendre que je lui appartenais. Il traçait les lettres avec application, et je le laissais faire. J'étais anéantie, à peine consciente de ce qui
venait de se passer. Nos ébats s'achevèrent avec un peu
plus de douceur. Il roula sur le côté, puis se souleva sur
un coude et commença à lisser mes cheveux de chaque
côté du front.

J'étais forcée de soutenir son regard. Il sourit,
puis articula mollement:

— Comme tu vois, on n'en meurt pas.

L'insolence méritait bien une gifle. Je n'eus
cependant pas le courage de lever la main. J'étais
vivante, mais passablement éreintée. Je ne m'étais
jamais imaginé que l'amour pût être une chose aussi
simple et brutale. J'y avais rêvé pendant des années
comme à un bonheur exceptionnel. J'avais lu des tas

de romans et vu des quantités de films où les amants vivaient dans l'exaltation la plus totale une rencontre intime qui paraissait se dérouler comme une fête.

Or, entre nous, tout s'était passé trop vite et trop bêtement. J'étais déçue, presque vexée que l'on ait eu pour moi si peu d'égards, mais je ravalai ma déception en silence. Stéphane était ma première flamme. Trop inexpérimentée pour procéder par comparaison, je l'exonérai avant même de savoir comment les autres s'y prenaient.

Je me consolais en me disant que la séduction proposée dans les romans roses était anachronique. La moto et l'ordinateur avait révolutionné les mœurs. À l'âge atomique, on ne pouvait plus s'attendre à ce qu'un garçon vous déclame des alexandrins ou vous offre des roses sur fond de brocart et de velours. Mieux valait être de son siècle. Si je ne m'empressais pas de dépasser le temps, c'est lui qui me devancerait. Or, de nous deux, je préférais que ce fût moi qui l'emportasse.

Ma mère avait aussi rêvé de fleurs, de passions déchirantes, d'aveux perpétuels, et elle dînait chaque soir face à un homme qui disait sans la regarder: «Vous savez qu'on risque encore un crash financier», ou bien: «Un peu plus de sel, et ce roastbeef serait parfait.» J'étais bien décidée à faire face à la musique. Je mettrais ma fleur bleue en quarantaine et deviendrais une fille moderne. J'apprendrais à faire l'amour sans scrupule ni revendication. J'entrerais de plain-pied dans cette course à l'indépendance du corps qui nous précipitait dans la science-fiction du sentiment.

Munie de ces dispositions nouvelles, je me sentis momentanément libérée de mes craintes. Je m'adaptais à ma situation avec une bonne volonté stupéfiante. Je me découvrais même des aptitudes insoupçonnées. Déjà prête à renier la prudence tatillonne des jeunes filles de bonne famille, je me rapprochai de Stéphane et mendiai ses caresses. Sans oser me l'avouer, je souhaitais qu'il recommençât.

Il n'en fit rien. En homme d'expérience, il avait déjà connu l'extase alors que je m'ébrouais dans de laborieux mouvements de brasse. Ne désirant plus prolonger des jeux où il s'était classé bon premier, il s'assit et fit craquer une allumette. Sa tête flottait dans une aura de fumée bleue. Elle lâchait des bulles d'air, mais ne laissait échapper aucun mot. Je le regardais, hébétée, ne sachant si je devais le trouver sordide ou me considérer comme la dernière des gourdes.

Finalement il se leva. Sa tête touchait presque le plafond. Sûr de lui, il exhibait l'assurance d'un vrai chef de clan. Je décidai de me contenter de la satisfaction d'orgueil.

En me relevant, je jetai un coup d'œil à la fenêtre découpée en hublot derrière moi. Autour de la roulotte, les herbes sauvages étaient courbées par le vent qui dégageait le ventre roux de la terre par plaques inégales. Les mirages s'étaient dissipés. Je ne voyais plus qu'un terrain en friche brûlé par la chaleur.

Subitement, j'eus froid. Je ramassai ma jupe et me couvris. Stéphane s'approcha et me donna une tape sur l'épaule comme il l'aurait fait si j'eusse été un garçon.

Ma mère criait, pressée d'en finir. Elle laissait ses traits se décomposer un à un, ignorant qu'en se dépouillant de sa beauté, elle se mettait à nu et acceptait la forme de déchéance qui lui convenait le moins.

— Tu ne seras jamais qu'une nullité!

Elle tint son poing levé au-dessus de sa tête pendant quelques secondes avant de le laisser tomber contre son corps déchaîné. J'étais trop loin pour qu'elle ne m'atteignît. À distance pourtant, je sentis son regard me frapper. Dans sa colère, elle invoquait l'éducation reçue, les bonnes manières, l'honneur familial. Puis elle énumérait les sacrifices consentis, les déceptions subies, tout ce que lui infligeait cette fille indigne qui se comportait comme une traînée.

Ses cris s'accumulaient, mais je restais impassible. Un dernier assaut échouait. Elle croulait sous les larmes. C'était l'instant précis où mon père devait prendre la relève.

— Dominique, où as-tu passé l'après-midi?

Ainsi donc, ils avaient été informés de ma fugue. Si notre présence à l'école ne semblait préoccuper personne, notre absence, par contre, paraissait être l'objet d'un contrôle rigoureux. À chaque numéro inscrit sur la liste IBM qui figurait au registre devait correspondre une tête épinglée sur un pupitre. L'épingle, non accompagnée de sa tête, rompait la continuité du déroulement administratif et mettait en branle les mécanismes du système de défense prévu à l'intérieur de la termitière. On avertissait immédiatement les contribuables, grâce à qui ce système existait, des blancs repérés. Car seul le chiffre plein rassurait.

Mon père, qui ne connaissait de la termitière que son coût d'opération, répéta sa question. Je ne l'entendis pas. J'étais occupée à calculer la distance parcourue en un jour par quatre mille deux cents termites se déplaçant dans un espace géométrique dont les allées transversales totalisaient une longueur d'un mètre et demi. Les cours, distribués sur sept périodes, obligeaient parfois à traverser l'édifice de l'aile A à l'aile C, ou à bifurquer de l'aile B à l'aile D par des couloirs latéraux qui doublaient le nombre de pas. Chacun de ces cours devait être multiplié par deux et additionné aux déplacements secondaires du dîner et de la récréation de l'après-midi. Les allers et retours me faisaient trébucher sur des demies qui retardaient mes calculs. Mon père s'impatientait.

— Tu pourrais au moins répondre quand on te parle.

Je prenais garde de lâcher mes termites. Un moment d'inattention aurait pu me rendre sensible à ses remontrances. J'évitais de le regarder. La sévérité de son visage aurait trahi sa lassitude, et j'aurais dû m'interdire de courir me jeter dans ses bras, comme je le faisais, enfant, chaque fois qu'il fronçait les sourcils. Ces effusions m'étaient à présent interdites. J'avais passé l'âge des acquittements faciles et des redditions inconditionnelles. On exigeait maintenant un repentir étayé de promesses, tout au moins des aveux.

La poursuite des termites m'épuisait sans mettre un terme aux réprimandes. Il fallait trouver une chose. J'eus l'idée de provoquer un scandale qui les effaroucherait. Je tenais en main la clef de mon évasion. Il suffisait de l'agiter sous leurs yeux sans leur laisser le temps de se ressaisir. J'allai donc me braquer devant ma mère et lui débitai d'un trait: «Où j'étais? — À l'extérieur. Avec qui ? — Avec un garçon. Ce que je faisais? — Attendez neuf mois pour l'apprendre.»

Ensuite, ma porte de chambre claqua. Debout devant ma coiffeuse j'observais attentivement mes yeux, mon nez, ma bouche comme si je les voyais pour la première fois. En apparence, rien ne paraissait changé. Intérieurement pourtant, je n'étais plus la même. Stéphane m'avait connue, touchée, et j'étais seule à savoir ce que cela signifiait.

Je venais de passer dans le clan des adultes. L'alibi de l'obéissance aveugle et de l'opposition têtue venait de m'être enlevé. J'étais devenue femme dans cette roulotte brûlante où nous avait conduits notre désir de fuite. Pour me donner du courage, je me répétais «tu es comme les grandes, tu as un amant». Mais de penser que je devenais responsable de mes actes m'épouvantait.

Je l'écrivis dans mon cahier à tranche rouge, et cela me réconforta. La page lignée absorbait l'encre du stylo, devenait une complice silencieuse sur laquelle je pouvais compter. Elle était mon double, et un double ne peut trahir sans renoncer à exister.

Le lendemain, ma mère ne parut pas au petit déjeuner.

Mon père quitta la maison de bonne heure. Je pus donc boire mon jus d'orange tranquille et manger mon œuf à la coque en silence. Dans la cuisine déserte où l'on aurait pu entendre voler une mouche, je goûtais le bonheur calme de la jeune épouse qui dispose de toute la matinée pour redorer ses rêves.

Je me rendis malgré tout à l'école, auréolée d'un prestige nouveau. Ma présence là-bas prenait une signification particulière. Stéphane, le leader de la classe, me préférait aux autres filles, à toutes ces beautés dont il eût pu s'entourer.

J'hésitai devant le local E-636 dont j'ouvris doucement la porte. Le cours était commencé. Heureusement pour moi, le professeur d'histoire occupait la tribune.

«*Monsieur le comte de Frontenac, j'ai été surpris d'apprendre toutes les nouvelles difficultés et les nouvelles divisions qui sont survenues dans mon pays de la Nouvelle France et dont vous me donnez part par vos lettres des 6 octobre, 10 et 14 novembre de l'année passée, d'autant plus que je vous avais fait bien clairement et fortement connaître et par vos instructions et par toutes les lettres que je vous ai écrites les années dernières, que votre unique application devait être de maintenir l'union et le repos dans les esprits de tous mes sujets qui sont demeurant en ce pays-là.*»

Ce pays ingouvernable était, paraît-il, le nôtre. Le professeur fit une pause pour nous laisser le temps de raccorder le Grand Siècle à la fin du millénaire qui approchait. La moitié de la classe somnolait. Les jambes nonchalamment allongées sous la chaise placée devant lui, Stéphane me regarda chercher une place dans la rangée voisine sans broncher.

Le professeur avait repris sa lecture. Cette correspondance de Louis XIV me fascinait. À l'école primaire, on aurait dû nous la proposer comme modèle et nous demander de prendre en main la correspondance des gouverneurs, au lieu de toujours nous obliger à raconter nos projets d'avenir à des parrains et marraines qui ne paraissaient guère s'en préoccuper. Une fois l'an, ils venaient allumer les chandelles de mon gâteau d'anniversaire, me regardaient déballer mon cadeau dans l'odeur de fumée qui remplissait la salle à manger, puis repartaient après avoir prédit: «Elle deviendra aussi grande que son arrière-grand-mère!» Je n'avais pas connu cette arrière-grand-mère qui me paraissait remonter au Grand Siècle. Grandir était donc mon dernier souci.

Frontenac avait un caractère de chien. Face à la lettre accusatrice, il relevait le panache de sa vanité blessée, et cherchait immédiatement querelle à quelque intendant, évêque ou jésuite du territoire. Il était né pour le théâtre, et on lui demandait d'administrer trente arpents de neige. C'était donc naturel qu'il pensât aux fourrures et s'intéressât aux allées et venues des coureurs de bois. Arrogant et superbe sous son grand chapeau bordé de plumes d'autruche, il avait semble-t-il imaginé, face à l'émissaire étranger, cette réplique

que des milliers d'écoliers devaient répéter plus tard en la colorant de mises en scène et d'orchestrations de leur cru: «Allez dire à votre maître que je lui répondrai par la bouche de mes canons.»

Frontenac n'avait peut-être pas repoussé les Anglais aussi hardiment qu'on le prétendait. Le professeur d'histoire lui administrait la raclée que Louis XIV eût souhaité lui donner. Il le descendait de son socle et lui faisait mordre la poussière. Je le regardais arpenter la classe en balayant de ses larges épaules les dates inscrites au tableau, et je me demandais comment il se serait comporté dans la roulotte.

Ses yeux lançaient des éclairs au-dessus de sa barbe de bois brûlé. Il était beau, et sa vivacité d'esprit, tout le contraire de l'indétermination craintive qui caractérisait souvent les miens, frisait l'impertinence. Sa tête d'idéaliste porté sur les grandes causes en faisait, à sa manière, un superbe chef de clan.

Je connaissais trop ma paresse pour espérer apprendre quoi que ce soit dans ses cours. Mais je savais que je ne m'y ennuierais pas, et j'appréciais son horreur de la nécrophilie. Il était louable, expliquait-il, de vénérer les morts en autant que cela n'empêchait pas de croire aux vivants et de miser sur leur avenir. Bouche ouverte, j'applaudissais, levant ma tête de lune dépenaillée — l'expression est de ma mère — à la hauteur de son regard.

De temps à autre, je jetais un coup d'œil derrière moi pour voir comment je m'insérais dans le groupe. Cinq ou six filles, souples et graciles comme des elfes, retenaient l'attention. Pour le reste, j'apercevais une masse d'épaules dépourvue d'intérêt. Je voyais d'autres bouches ouvertes qui devaient ressembler à la mienne, des cils embusqués derrière des crinières ébouriffées, des regards mornes, des oreilles calfeutrées. Les joues étaient blêmes, et j'aurais parié qu'elles étaient molles au toucher. On avait dû consommer beaucoup de hasch, de Chips et de Pepsi pendant les vacances.

L'avenir de la société reposait, disait-on, sur nos têtes. C'était plutôt grotesque. Nous avions déjà des faces d'enterrement en octobre. Je me demandais de quoi nous aurions l'air au printemps, une fois sortis du cycle des boules à mites, de l'onguent Vic et des vitamines D. Je me redressai, croyant nécessaire de sauver la situation. J'entendais surtout me mettre en évidence et rivaliser avec les elfes. Comme je ne pouvais les battre sur leur propre terrain, je devais me ranger du côté de l'intelligence et m'y accrocher farouchement jusqu'à ce que le professeur me remarque.

Je connaissais peu les hommes, mais je les savais avides d'oreilles complaisantes. J'avais cru observer qu'ils aimaient prononcer des oracles, régler les guerres à coups de mâchoire, hausser le cours de la bourse, détruire les continents, les rebâtir et les modifier indéfiniment. Ils jouaient au politicien, au cosmonaute, au brasseur d'affaires, et ils étaient chaque fois éloquents et sincères. Ils parlaient, et on n'avait qu'à se laisser faire. Il suffisait d'avaler leurs paroles, d'absorber leurs idées, et de leur en refiler une de temps à autre afin de ne pas paraître trop bête.

À mon grand désespoir, le professeur d'histoire

sermonnait Frontenac sans se laisser distraire par mon stratagème. «*Mais comme je vois*, poursuivait-il, *qu'il vous arrive assez souvent de tourner l'exécution des ordres que je vous donne, contre la fin pour lesquels je vous les donne, prenez bien garde de ne le point faire à cette occasion.*»

Un grésillement secouait l'interphone.

Mon nom courait le long d'un fil et traversait la plaque de métal fixée au mur. On m'ordonnait de me rendre au bureau de la Direction des études. Les joues en feu, je ramassai aussitôt mes cahiers et me levai. J'eus assez de maîtrise pour incliner la tête hâtivement en direction du professeur. Il fit signe qu'il en tenait compte et retourna à son texte.

Je traversai le couloir de l'aile E à toute vitesse, puis débouchai sur l'aile D qui me rejeta dans la section A. J'avais couru un quart de kilomètre en trois minutes. En descendant l'escalier du deuxième étage, je me demandai pourquoi je me pressais tant. Le cœur battait ses coups jusque dans ma gorge. Il me jouait la marche du condamné. C'était macabre. Je connaissais bien cet air. Je l'avais entendu à chacune des visites qui avaient précédé mon renvoi des institutions déjà fréquentées.

Cela commençait toujours de la même façon. On me regardait entrer et on prenait un air grave. Je m'enfonçais le cou dans les épaules. On me débitait:

«Dominique, vous comprenez que nous ne pouvons plus vous garder dans ces conditions», ou «Vous savez, Dominique, votre conduite ne convient pas à ce que nous attendons dans une institution comme la nôtre», ou bien «Nous aurions aimé vous garder, Dominique, mais vous savez que cela ne serait conforme ni à votre intérêt ni au nôtre», ou encore «Après ce qui vient de se passer, nous devrons aviser vos parents que cette maison ne vous convient pas.»

C'était, comme on dit en musique, des variations sur un même thème. Cantate et fugue. Ça se terminait par une sortie rapide. Je dépliais mon cou et ramassais ma charpente d'un seul bloc. Tous mes os craquaient. Je filais vers les toilettes où j'éteignais la lumière. Mon souffle m'avalait. Dans le noir, je me cherchais. Je palpais mon front, mes joues, mes épaules afin de me retrouver. Ma peau était froide et rugueuse comme celle des morts. Cela me dégoûtait. Je faisais couler le robinet d'eau chaude et m'aspergeais le visage. J'allumais. Quelqu'un qui me ressemblait beaucoup me regardait dans la glace. J'étais toujours la même, et je le resterais quoi qu'il arrive.

Des cheveux coupés à la garçonne encadraient mon visage rond et me donnaient l'air enfantin. Je me demandai comment j'avais pu adopter cette coiffure. J'attrapai quelques mèches et tirai dessus afin de les allonger. Elles me résistèrent. Je jugeai inutile de recommencer. Le temps avançait. Je me lavai les mains et lançai ma serviette de papier derrière la boîte à rebuts qui débordait.

Dans le couloir, la marche du condamné tambourina de plus belle. J'essayai de l'étouffer avec des airs du *Hit Parade*, mais ils se cassèrent tous entre mes dents. Je tentai une autre rengaine sans succès. J'étais à ce point troublée que je n'arrivais même plus à fredonner *Alouette* ou *God save the Queen*.

J'avais atteint l'extrémité du dernier couloir. Une haie de têtes joliment plâtrées pivotait au-dessus d'une rangée de bureaux placés devant une enfilade de portes. Je demandai où se trouvait le bureau de la Direction des études. Une des têtes se retourna et m'indiqua, d'un battement de paupières, la série de chaises placées devant la standardiste. D'autres étudiants s'y trouvaient déjà. Je compris que je devais les rejoindre. Mon voisin de droite s'agitait sur son siège et regardait l'heure à tout moment. Ma voisine de gauche, une fille aux yeux de chat superbement maquillés, débarrassait ses ongles d'une laque rouge sang qui devait dater de quelques jours. Elle avait déjà dégarni une main et s'attaquait à l'autre qu'elle mordillait par petits coups de dents incisifs.

Pour nous distraire, des gens passaient. Il y avait des messieurs ventrus, aux pas bien appuyés, qui parlaient haut, portaient des lunettes à monture noire et devaient faire partie du conseil d'administration. Les professeurs, plus légers, coupaient l'air nerveusement, une pile de cahiers sous le bras. Ils dévoraient les tableaux d'affichage en un clin d'œil comme s'ils avaient déjà pris des cours de lecture rapide, et poursuivaient leur chemin. Des jeunes secrétaires se

pavanaient, toutes en jambes. Elles se dirigeaient vers
une porte, tenant une feuille au bout des doigts. La
porte se refermait. Elles revenaient les mains vides,
s'asseyaient, tapaient un peu sur leur machine à écrire et
repartaient vers une autre porte, aussi alertes et gra-
cieuses, une nouvelle feuille de papier battant leurs
cuisses.

À mes côtés, l'étudiante aux yeux de chat avait
fini de peler ses ongles et faisait maintenant tinter une
breloque sur sa gorge. Je soupirai afin de lui signifier
que ce bruit m'agaçait. Elle continua de plus belle.
Pour l'oublier, je me mis à observer les pieds recroque-
villés sous les chaises.

Tout compte fait, ils étaient aussi expressifs que
les têtes. Ils se terraient à l'ombre pendant un long
moment, puis resurgissaient comme des bêtes fauves,
s'étiraient en pleine lumière et atteignaient presque le
couloir où d'autres pieds se déplaçaient. Toutes les
cinq minutes, l'étudiant occupant la première place se
levait, disparaissait dans la pièce à laquelle nous tour-
nions le dos, laissant son siège à l'étudiant suivant qui
s'en emparait aussitôt. La chaîne des pieds s'allongeait
à ma gauche tandis que la chaîne des chaises se raccourcissait à ma droite. Ce jeu de bascule me distrayait
de mon angoisse.

D'en suivre le déroulement me rassurait. Je n'avais
plus rendez-vous avec le directeur. J'avais rendez-vous
avec des chaises, toutes pareilles, sur lesquelles je glissais sans effort, poussée par un mouvement automatique qui me hissait lentement vers les premières places.
Le soporifique agissait. Du sable chaud alourdissait

mes paupières. Étalée au soleil, je ne pensais plus à
rien. C'était l'automne. Il fallait profiter des derniers
beaux jours. Je ronflais.

Un coup de coude me fit sursauter. La fille aux
yeux de chat s'impatientait. Je me levai en titubant,
cherchant mon cartable qui avait disparu. Une porte
s'ouvrit derrière moi. Je retombai sur une chaise semblable à celle que je venais de quitter. Un long bâillement monta du fond de ma gorge. Je le ramassai avec
ma main droite et le déposai au fond de ma poche. Le
directeur me regarda sans rien dire. Pressentant que
mon aventure à la roulotte devait être l'objet de cette
convocation, je me tenais correctement, les genoux
serrés, pour lui donner l'impression d'être une fille
sérieuse à qui un accident était arrivé.

C'était la première fois que je rencontrais le jeune
directeur de cette école, et j'étais frappée par l'abon-
dance des taches de rousseur qui encombraient son
nez. Je me demandais s'il m'appellerait Dominique ou
mademoiselle. La tête baissée, il examinait une fiche
placée sur son buvard, et je me disais que ses mains
blanches et molles ne devaient pas se mettre en colère
souvent. Sur l'index de la main gauche, une verrue
avait déjà été brûlée à l'acide sans succès. Tout un
bazar encombrait son bureau où s'entassaient des
coupe-papier, des ciseaux, un classeur, un bloc éphé-
méride, un dévidoir de ruban adhésif, une boîte d'élas-
tiques, un perforateur, des agrafes, des papiers, des
paperasses, deux piles de dossiers, et j'en passe.

— Numéro-pseudonyme PERDOMI221951...?

— Je ne suis pas sûre. Je crois que c'est ça.

— Ça n'a pas d'importance.

J'étais de cet avis, mais je n'osais pas le lui avouer. Le jour de la rentrée, on s'était donné beaucoup de mal pour nous expliquer les composantes de ce numéro-pseudonyme. Il fallait inscrire en majuscules les trois premières lettres du nom et du prénom, ainsi que la date de naissance en prenant soin d'ajouter au mois le chiffre cinq si l'on était un garçon, ou le contraire si l'on était une fille, je ne sais plus trop. C'était compliqué et savant. Cela faisait un bloc interminable, un noyau bourré de chiffres et de lettres que seule la machine IBM pouvait déchiffrer.

Le jeune directeur alluma une cigarette avec son briquet de cinquante sous et préleva un dossier de la pile de gauche. Il l'ouvrit, le consulta rapidement, puis fit glisser son stylo le long d'une feuille couverte de numéros. Sa main s'arrêta brusquement et fit le geste d'en rayer un.

— Vous suivez Histoire 512?

— Oui.

— Local E 636?

— Euf.

— Oui ou non?

— Je pense que oui.

— Il y a trop d'élèves là-bas.

J'eus un haussement d'épaules. Des élèves, c'était évident qu'il y en avait trop. Mais si on les enlevait de l'aile E, il faudrait les caser ailleurs, et alors ce serait l'aile C, ou l'aile G ou F qui deviendrait congestionnée. Savoir guider la circulation et empêcher les embouteillages aux heures de pointe devenait une fonc-

tion majeure pour les nouveaux directeurs. On aurait
dû leur donner des cours spéciaux, comme à la police,
et leur remettre des gants blancs et un sifflet. On aurait
pu aussi équiper l'école de feux de circulation. Je voulus soumettre cette idée au directeur. Il me coupa la
parole.

— J'ai rayé votre numéro. À l'avenir, vous pren-
drez Physique G 513.

— Mais je me suis inscrite aux cours d'histoire.

— On imprimera une nouvelle liste.

— C'est impossible.

— Nous avons révisé les dossiers. Vous aviez un
échec en physique. Vous reprendrez cette matière.

Je me mis à lui expliquer que je n'avais aucun
attrait pour la physique, que je n'y comprenais rien et
que l'on m'y avait inscrite par erreur, en onzième, à la
suite d'une confusion dans l'application des nouvelles
normes administratives. Il étendit sa petite verrue au-
dessus de mon dossier.

— Si nous devions prendre en considération les
caprices de chacun, toutes les options seraient à refaire
et il nous faudrait cent nouveaux professeurs demain
matin.

— Mais c'est de l'histoire que je veux faire. Le
professeur est formidable. Il nous dit des choses pas-
sionnantes.

Il jeta mon dossier sur la pile de droite et en tira
un autre de la pile de gauche. L'entretien était terminé.
Je n'avais d'ailleurs plus envie d'ajouter un seul mot.
La machine IBM ne faisait pas la distinction entre ce
qui était formidable et ce qui ne l'était pas.

Je tournai la poignée de la porte. L'étudiant de la première chaise l'entendit s'ouvrir et se leva aussitôt.

Je retrouvai Stéphane à la cafétéria, en train de fumer ses Malboro. Il comprit que ça n'allait pas. Le timbre allait bientôt sonner. Nous devions fuir avant que la meute du premier service n'apparaisse et n'envahisse le comptoir steak-frites près duquel nous nous trouvions.

Nous enfourchâmes la moto qui prit d'elle-même la direction des terrains vagues. Il attendit d'avoir mis la clef dans la serrure de la roulotte pour poser la première question.

— Il était au courant?

— Non.

— Alors, pourquoi il t'a fait demander?

— Bof.

— C'était le petit jeune?

— Oui.

— Qu'est-ce qu'il t'a dit?

— Qu'on est trop nombreux en histoire. On va nous envoyer dans l'aile G prendre des cours de physique.

— De la physique? Qu'est-ce que tu vas faire là-dedans?

— Rien. On dégage une aile qui est trop bondée pour en remplir une autre.

Tout cela était absurde, mais le non-sens avait sa logique et ses règles. Ce directeur devait lui-même avoir l'importance d'une tête d'épingle sur l'organigramme de la termitière. *Small* avait cessé d'être *beautiful*. Partout, on ne parlait plus que de grands ensembles, de structures mobiles, de rendement. La planète perdait son visage humain. Nous étions les derniers spécimens d'une espèce en voie de disparition.

— Tu aurais dû protester.

— Je l'ai fait.

— Qu'est-ce qu'il a dit?

— Il a sorti une fiche et rayé mon numéro de sa grande liste.

— Tu aurais pas dû te laisser faire.

— As-tu protesté, la première journée, quand ils t'ont enlevé ton nom pour te donner un numéro?

— Ça aurait servi à quoi?

— À leur faire comprendre qu'on est pas des briques ou des sardines.

— T'as raison. On est une bande de caves.

Stéphane écrasa son mégot sous son pied. Cette discussion l'avait rendu nerveux. Il se leva et se versa un double gin. Je refusai celui qu'il me servit. De toute manière, j'étais déjà ivre. Ce qui s'était passé depuis le matin m'avait chaviré les esprits. J'entendais les grillons et les cigales s'ébattre derrière les moustiquaires, et je me disais qu'ils étaient des insectes heureux. On ne les enfermait pas derrière des murs de béton, et on ne les étiquetait pas avec des petits bouts de papier qu'on empilait dans des filières.

— C'est à qui la roulotte?

— À Freddie.

— Un ami?

— C'est mon frère.

— Il te prête la clef?

— Penses-tu. Je me suis fait faire un double.

— Et s'il apprenait qu'on vient ici?

— Il peut pas l'apprendre avant deux mois. Il travaille à Chibougamau.

Chibougamau, c'était au bout du monde. On pourrait se payer du bon temps aussi longtemps que la température le permettrait. L'été avait été pluvieux. On était en droit d'espérer un bel automne. Je n'avais encore jamais beaucoup aimé cette saison, mais cette fois j'étais en parfait accord avec elle. Tout devenait plus tamisé, moins violent. Le paysage y gagnait en harmonie et en couleur. J'avais l'impression d'en faire autant.

Une flaque de lumière tombée de la fenêtre me chauffait les épaules et je m'attendrissais sur l'univers entier. J'aimais les gens, les fleurs, les feuilles mortes, l'eau des sources et du fleuve. J'aimais le chant des cigales et des grillons. J'aimais le sang qui courait dans mes veines et me jetait dans les bras de Stéphane, ce gars sombre et sauvage dont je ne savais rien et que je suivais pourtant comme s'il eût été un vieux copain.

Des liens nous unissaient qui se raffermissaient de jour en jour et me rendaient aveugle. Ainsi je croyais le connaître depuis toujours alors que je ne savais même pas son âge. Il devait avoir quelques années de plus que moi, l'âge de l'intransigeance et des bêtises. Nos

emballements se transformaient souvent en rejets.
Nous commencions à comprendre la vie, mais l'essentiel nous échappait et nous manquions de patience.

Stéphane paraissait solide. J'avais l'impression
qu'il me dominait sur tous les points. Cette apparente
maturité me fascinait, tant j'étais sûre qu'il me ferait
progresser dans cette approche du monde qui me faisait encore défaut. Il parlait peu, mais ses silences
m'en imposaient. Je me demandais ce qui avait pu le
marquer de la sorte. Sans doute s'agissait-il d'expé-
riences fortes n'ayant rien de commun avec le savoir
livresque qu'on avait tenté de me refiler. Persuadée
que je devrais me livrer à un recyclage en règle, je
comptais sur lui pour y arriver.

Il allongea son bras le long de ma cuisse. La
lumière glissa dans sa paume, et j'eus tout à coup très
chaud. Sa main explorait mon corps et faisait sourdre
mon désir par vagues lentes bien appuyées aux reins.
Mon ventre s'ouvrait comme une fleur de tournesol.
Des cigales venaient y sucer leur suc et des oiseaux se
becquetaient sous mes seins. Stéphane agita le bras et
les chassa tous. Je me redressai. En inclinant la tête, je
me rendis compte que j'étais nue comme un vers.

Stéphane me recouvrit et, à compter de ce moment,
tout se précipita. J'aurais aimé une force tendre qui se
serait introduite en moi comme une eau douce. Or,
c'était un ouragan qui rasait tout sur son passage. Mes
bras et mes jambes pendaient au bord du divan comme
des branches arrachées par l'orage. Stéphane me
broyait les hanches et me mordait le cou. On aurait dit
qu'il s'agissait pour lui d'une bataille à finir. Je ne sais

contre qui ou contre quoi il voulait se défendre. Peut-être avait-il peur. Il ne connaissait probablement pas les filles autant qu'il le disait.

Il suait, cognait. Sa respiration s'amplifiait. Lancé au-dedans de moi comme sur un champ de course qu'il aurait parcouru juché sur sa Honda, il était corps et âme tendu vers le but à atteindre. Subitement, ses mains s'agrippaient à ma gorge. Son corps s'arc-boutait et retombait violemment contre moi, terrassé par une force invisible. J'évitais de bouger. J'évitais de penser aux romans-feuilletons où les amants touchent l'extase dans un grand soupir de ravissement qui les propulse au septième ciel.

Sa respiration redevenait normale. Il glissait hors de mes cuisses et s'allongeait sur le dos. Il regardait le plafond, mais ce n'était pas le plafond qu'il voyait. Il jonglait avec des choses obscures et mystérieuses qui le laissaient un peu triste. Je plaçais mes doigts devant ses yeux afin de le distraire. Il ne les voyait pas. Il ne voyait rien, sauf cette hantise secrète qui le dévorait.

Être la préférée du leader ne me suffisait plus. Je voulais mon plaisir. Je voulais autre chose qu'un coureur motocycliste qui se précipite sur vous et ahane comme une bête avant de rendre le souffle. Je voulais être aimée.

J'insistai:

— Tu m'aimes?

— Dis pas de bêtises.

J'étais collée à lui, et déjà il m'échappait. Son corps touchait le mien, mais sa pensée était à dix lieues de la roulotte. Ces silences me rendaient folle. Je me couchai à plat ventre sur lui et commençai à effleurer les veines de son cou qui se mirent à frémir. Mes doigts pressaient le tissu fragile, et je voyais des rivières de sang envahir ma rétine. Effrayée, je retombai sur le matelas et tournai le dos à Stéphane.

Son souffle réchauffait mon cou. Je fermai les yeux.

II

Le professeur de physique couvrait le tableau de formules qui m'étaient aussi familières que l'hébreu ou le chinois. Il en effaçait les trois quarts, reportait ce que je croyais être la solution sur la gauche, et lançait une phrase qui servait de tremplin à la suite de sa démonstration: «Les électrons ne peuvent se promener que sur certaines orbites.»

Ça m'était égal. J'écoutais à peine. J'étais un parasite affecté à une aile déjà surpeuplée depuis les derniers remaniements effectués dans la termitière. J'étais en outre la fille de mes parents qui payaient des taxes et entendaient en avoir pour leur argent. Si les résultats devaient s'avérer nuls, le blâme retomberait sur les boucs émissaires habituels, les enseignants.

Exonérée d'avance de tout blâme, je comptais profiter du trimestre pour flâner à ma guise et avancer le récit commencé au cours de français où, conformément à l'esprit des nouveaux programmes, on favorisait la créativité. Oser qualifier ce texte de roman eut été prétentieux. D'ailleurs, presque plus personne ne lisait. Les jeunes dévoraient les bandes dessinées, et les vieux regardaient la télévision. Dans un cas comme dans l'autre, c'était du cinéma, la passion de l'image. Or, j'entendais rester honnête avec les mots.

Ils se bousculaient dans ma tête. J'en saisissais quelques-uns et les alignais dans le cahier à tranche rouge que j'ouvrais clandestinement derrière une pile de livres. Dès lors, quelque chose de magique se produisait. À peine achevé, le paragraphe se mettait à tourbillonner dans le rideau de lumière qui drapait les fenêtres nues de la salle de cours, et les quatre points cardinaux se croisaient sous mes cils.

À l'extérieur, des oiseaux migrateurs posés sur un tronc d'arbre formaient une croix fragile à l'horizon. Un avion passait et rompait cet accord. Le fil du récit se renouait à partir d'une nuque inclinée qui n'était pas celle de Stéphane. Un rêveur de plus risquait de faire crouler la termitière. Au fond, nous étions tous pareils. Nous étions tous avides d'aventures et de départs, d'excès tués par la monotonie des heures.

J'entendais le roulement des voitures sous le viaduc longeant l'école, les brusques enfoncements des freins au feu rouge, les démarrages ronflants, la fuite vers la ville, vers le bruit, cette course échevelée qui vous déplaçait d'un bout à l'autre des grandes artères en vous engourdissant un peu les jambes, et moi-même je partais. Mon corps se laissait ballotter sur les coussins d'une grosse voiture à huit cylindres. Il prenait le virage, s'inclinait un peu dans les courbes, retrouvait sa position première et filait, à demi assoupi, réveillé aux feux de circulation par les soubresauts pétaradants des quarante-six chevaux-vapeur qui démarraient en secouant leur crinière.

La route s'élargissait. On franchissait la frontière américaine. «Where were you born?» On inventait un petit village naïf et folklorique. Les douaniers souriaient de nous voir feuilleter le martyrologe aussi ingénument. Ils étalaient le cordon de leurs dents étincelantes, blanchies au Crest deux fois par jour, et nous faisaient signe d'avancer.

Nous roulions à grande vitesse. Bientôt, le lac Champlain apparaissait, tout bleu, barbotant ses eaux dans la verdeur du sang français qui l'avait découvert. Nous le contournions rapidement. Il retournait à l'histoire pendant que nous nous engagions sur la 89 qui nous rejetait sur la 93 en direction de Cape Cod. Nous arrêtions faire le plein d'essence et engouffrer un hotdog et un Pepsi. Juste à côté de la station de service, une pharmacie affichait une vente de sandales japonaises à dix sous. Nous en achetions six paires. Le vendeur exultait: «It's a real bargain, you know». Il se prenait pour le Père Noël. Nous lui disions dans un anglais approximatif — même ça, l'école n'avait pas réussi à nous l'enseigner — que son pays était assez riche pour se permettre de faire des cadeaux. Il riait de toutes ses dents. Il était sûr d'appartenir à un peuple heureux.

Nous repartions. L'asphalte était mou comme du

beurre. Ça donnait soif et hâte d'apercevoir l'Atlantique qui se montrait enfin au détour d'un virage, gigantesque, balayé de grands vents. Nous ne pouvions dresser la tente. Nous remettions cette besogne à plus tard et courions vers la mer. Elle emplissait nos gorges d'algues écarlates et de poissons multicolores qui séchaient sur nos lèvres. Des épaves s'accrochaient à nos pieds. Nous les lancions au loin, et nos rires effrayaient les goélands qui passaient au-dessus de nos têtes, ivres d'odeurs de brome et d'iode.

Derrière un rocher, des sirènes se livraient à leurs débauches habituelles. Méfiante, je m'en éloignais à toute vitesse. Tandis qu'elles menaient un tapage étourdissant, je me glissais dans la mer et devenais poisson lune, herbe phosphorescente, lame de fond dont on ne voyait plus la fin. Les limites de mon corps éclataient. Je baignais dans un bouillonnement de chaleur qui faisait fondre les glaces des pôles et me conduisait vers les tropiques. Une végétation luxuriante envahissait mes flancs.

Le courant m'entraînait sur les côtes d'Égypte où le grain lisse de ma peau éblouissait le pharaon qui me conduisait aux portes des pyramides et m'introduisait dans la chambre nuptiale. Il célébrait ma beauté, acceptait l'offrande de mon ventre plat et de mes seins gonflés de miel. Il faisait dresser pour moi un grand festin, m'initiait à l'arôme du cumin, de l'hysope et de la coriandre. On m'aspergeait d'eau de rose et de fleur d'oranger. Je ne doutais plus de moi ni de personne. J'avais atteint le royaume où s'annulaient les graffiti des siècles qui m'avaient précédée.

Subitement, la neige se mettait à tomber et les privilèges qui m'avaient été accordés me quittaient un à un. J'étais retombée sous la coupe du temps. Stéphane me reprochait d'être allée trop loin. Il me hissait sur son embarcation, et nous larguions les voiles.

Je suppliais:

— Le temps va trop vite, Stéphane. Il faudrait l'arrêter.

— Impossible, disait-il. Il glisse entre les doigts.

— Nous serons trop vite rendus. Je voudrais revenir en arrière.

— Impossible. Il faut avancer.

Stéphane mentait. Il aurait pu arrêter le temps, mais sa curiosité l'emportait. Il se mourait d'envie d'apercevoir les sirènes. Grisé par leur appels, il devenait fou à entendre leurs chants se répandre dans l'après-midi torride. J'inventais des histoires pour le distraire. Mes lèvres fredonnaient des mélodies auxquelles il prêtait un instant attention. Mais déjà, il avait l'esprit ailleurs. Déjà il me trompait avec ces idées lugubres qui lui infestaient le crâne dès qu'il cessait de m'aimer ou de rouler en moto.

Une craie tombait des mains du professeur. Il fermait son cahier tandis que nous commencions à nous agiter sur nos chaises. La sonnerie du timbre retentissait. En moins de deux secondes, la classe se vidait.

Un raz-de-marée nous poussait dans le couloir et nous faisait refluer vers la cafétéria. Une voix susurrait au-dedans de moi «fais-toi souple, Dominique, laisse-toi porter par la vague». Mais la masse de jambes qui piétinaient les sacs vides de Chips, de Pop Sicles et de gâteaux Vachon m'encerclaient comme des pieuvres.

J'avançais en siphonnant une mare d'eau gazeuse, cernée par une multitude d'yeux, de bouches et de mains rapaces. Quatre mille têtes ramassées en une seule reproduisaient une laideur semblable à la mienne. Les sirènes s'étaient volatilisées. Je prenais de l'assurance. Après tout, le temps des stars était peut-être révolu.

Un chansonnier hurlait au haut-parleur «je vous laisse ma paix». À vrai dire, il ne faisait pas grand-chose pour nous l'assurer, mais ça aurait été bête de lui en vouloir. Un autre aurait pris sa place, de toute manière. La chanson se mangeait comme du pain, naturelle, tartinée ou dorée au grille-pain. Elle aidait le Pepsi à gargouiller ses vapeurs acides jusqu'aux intestins. Elle nous mettait en transe, hors du temps marqué par les horloges. Elle nous rendait invulnérables, indifférents et éternels.

J'avançais, et la file raccourcissait. Un plateau chargé de frites, de steak haché et d'un carré aux dattes glissait sur la grille d'acier inoxydable longeant le comptoir de service. Un autre le remplaçait, et le suivant se présentait. Mon tour était arrivé. Je commandais le plat du jour sans en avoir envie. Il fallait libérer la place. On poussait fort derrière, et les serveuses s'impatientaient lorsqu'on coupait la chaîne.

Un ragoût clair barbotait dans mon assiette à côté d'une soupe aux nouilles, d'une salade de chou et d'un millefeuille. Le plus difficile restait à faire, trouver une place où m'asseoir. Une mare grouillante s'étendait jusqu'aux fenêtres, soulevée ici et là de mouvements convulsifs qui, aussitôt formés, s'aplatissaient en un balancement d'épaules accordé au rythme du *Hit Parade*. J'attendais qu'une vague de fond m'engloutisse, et vienne me restituer trois jours plus tard dans la cafétéria déserte. Mais comme je n'étais pas Jonas, rien de tel ne se produisait.

Je pivotais gauchement, attendant qu'une trouée perce cette masse qui faisait bloc. Soudain un Hello! tombait dans ma soupe aux nouilles, sorti je ne savais d'où. Une main me tirait vers la droite. Je glissais sous un nuage de fumée, et mon maillot s'éraflait sur le banc où je m'écroulais. Le rideau de fumée s'entrouvrait. Face à moi, il y avait Stéphane et un type qui me regardait.

Prudente, je restais sur ma réserve.

— Ça fait longtemps que t'es arrivé? demandai-je à Stéphane.

— Dix minutes.

— Qu'est-ce que t'as fait ce matin?

— Bof.

Ce préambule n'était qu'une façon d'entamer la conversation. J'étais sûre qu'il n'avait rien fait. En réalité, je souhaitais lui demander s'il avait pensé à moi, mais je savais qu'il ne supporterait pas cette question devant un copain. La renommée des gars tenait à leur capacité d'accumuler les aventures sans s'engager ni afficher leurs sentiments. Rester *cool* était pour eux un indice suprême de virilité.

Sous la table, je sentis les cuisses de Stéphane frôler les miennes. Je caressai son pantalon de velours côtelé avec ma main. Le type aperçut mon geste.

— Qui est-ce que c'est?

— Serge. Un gars de la haute. Il a calé ses maths et a été forcé de rebondir ici.

Il s'appelait Serge. Ce nom me rappelait quelque chose. J'eus la noblesse d'être aimable. Ma bonne éducation ne m'avait pas encore entièrement quittée.

— Alors, tu reprends tes maths?

— On a dit que j'avais pas la capacité. On m'a envoyé en histoire.

— Moi, je voulais rester en histoire, et on m'a envoyée en physique.

— La physique? Tais-toi. Tu vas me donner des complexes.

Il éclata de rire. Je me souvenais maintenant de lui. On avait déjà dansé ensemble dans une discothèque. Il avait grandi, maigri. Il n'exhibait plus l'assurance un peu fate des fils à papa trop bien nourris. Sa barbe, savamment taillée à l'époque, envahissait maintenant le cou et débordait sur le col roulé du chandail. Je voulus savoir ce qui l'avait marqué de la sorte. Il se montra cynique.

— T'as pas l'âge. Tu n'y comprendrais rien.

— Il me semblait qu'on avait à peu près le même.

— Celui du registre des baptêmes ne m'intéresse pas.

Je n'osai pas rétorquer. Je tenais à son estime et craignais de passer pour une gourde. Il était le copain de Stéphane. Ce n'était pas le moment de commettre des bêtises. Beau comme un dieu, il dominait ma gaucherie d'une bonne hauteur de tête. Pour me donner une contenance, je m'informai de ce qu'il devenait. Il se contenta de me regarder et de hausser les épaules. Je ne supportai pas ses grands airs, sa condescendance hautaine.

— Tu te crois fin parce que t'as une belle gueule. Y a pas de quoi se monter la tête. Des gars comme toi, ça court les rues.

Il sourit. Je venais d'emporter le morceau. Il me demanda quelles étaient mes matières optionnelles. Je les énumerai et retournai la question. Nous parlions de choses banales afin de taire celles qui nous tenaient à cœur. L'orgueil et la pudeur nous ramenaient à la fiche d'inscription conventionnelle: numéro de cours, numéro de groupe et de secteur, nom des parents et des professeurs, institutions déjà fréquentées. Nos paroles s'alignaient comme des signes IBM, en lignes droites bien égales, perforées de temps à autre par le trou d'un silence.

Stéphane ne parlait plus. Le nuage de fumée qui s'épaississait au-dessus de nos têtes ramollissait nos boîtes crâniennes. Mes oreilles flottaient dans ce tintamarre de la cafétéria comme deux bouées folles à l'approche d'un champ magnétique. Une crampe me barrait l'estomac. J'ai dû blêmir. Stéphane et Serge se sont précipités et m'ont conduite vers la sortie.

Une fois dehors, je m'écroulais sur le palier de l'escalier de service. L'édifice cruciforme tournoyait devant mes cils comme un kaléidoscope dont je m'épuisais à tenter de rassembler les pièces. Il s'immobilisait enfin et reprenait sa forme normale, occupant tout l'espace visible.

J'étais réduite aux dimensions d'une fourmi. Je m'agrippai à la première marche pour toucher du solide. Ce coup de froid me réveilla.

— Ça lui arrive souvent? ironisait Serge.

— Comme ça, une fois de temps à autre, quand elle s'ennuie de sa mère.

Je levai la main pour gifler Stéphane. Il s'esquiva, et ma main alla s'écraser sur le ciment. J'avais mal, et je devais le dissimuler. Obsédée par l'idée de plaire, j'étais prête à toutes les compromissions pour être reconnue comme une des leurs. Ils étaient amis. Je connaissais la puissance des clans. Je ne réussirais à garder Stéphane que si j'arrivais à me concilier Serge.

Je fis donc un grand sourire bête. Stéphane parut satisfait. «Allons-y!» lança-t-il après m'avoir regardée de biais.

Il n'avait pas dit où on allait, mais je le savais. Juchée sur la moto, j'avalais de la poussière et du vent à pleine bouche. L'école était située dans la banlieue des pauvres. Plusieurs voitures circulaient avec des tuyaux d'échappement crevés, et ça prenait à la gorge.

Stéphane me signalait toutes les Cadillac qu'il apercevait. Faisant à peine la différence entre une régulière et une décapotable, je ne les reconnais jamais d'une fois à l'autre. Pour moi, c'était du pareil au même, un amas de ferraille puant qui doublait à droite, faisait des queues-de-poisson à gauche, et fonçait aveuglément dès que le feu rouge passait au vert.

— Chez nous, un chômeur, ça se respecte. Ça roule jamais autrement qu'en Buick ou en Cadillac.

— Qu'est-ce qui te fait dire ça?

— Mais regarde!

Ces vieilles voitures avaient bien huit ou dix ans. Elles étaient décorées de gadgets extravagants qui affichaient la coquetterie des petits budgets, mais la plupart avaient un flanc troué ou une aile repeinte. Stéphane m'expliquait que pour les chômeurs, rouler en petite deux chevaux ou même en Volks, c'eût été manquer de virilité. Je me rendais compte à quel point les hommes étaient différents des femmes. Moi, une moto ça ne me disait pas grand-chose. Je n'avais aucun attrait pour la mécanique, et les ronronnements du moteur me laissaient froide. Tout compte fait, je préférais marcher.

On entrait dans la roulotte. Serge nous avait suivis, et ça me dérangeait. Trois capsules de Pepsi rebondissaient au plafond. Je me demandais comment Stéphane se débrouillait pour acheter tant d'alcool et d'eau gazeuse. Ses parents ne roulaient pas en Cadillac, mais ils étaient modestes. À l'école, les étudiants avaient toujours beaucoup d'argent de poche. C'était à croire que l'on vivait dans un pays de millionnaires.

Serge levait son verre avec emphase.

— Viva la génération Pepsi!

— Les chômeurs.

— Et les mangeurs de patates frites!

Ils se mirent à parler du prolétariat. Je dus faire l'effort de les suivre, car ils utilisaient un vocabulaire assez compliqué. Entre filles, on parlait rarement de politique. La conversation tournait le plus souvent autour des sentiments, des toilettes, des sorties que les parents permettaient. On avait hâte d'être majeures afin de pouvoir sortir à notre guise.

«Le système, c'est de la merde, renchérissait Serge. On organise la vie des gens pour leur faire croire qu'on leur donne le paradis, et à la fin on leur remet une boîte de conserves ou un frigo.» Je ne pouvais m'empêcher de penser qu'en entrant chez lui, il se précipiterait vers le frigo pour en tirer un Julep ou un Pepsi. Cette contradiction ne frappait pas Stéphane qui se tourna vers moi, l'air inspiré, comme s'il allait proférer la vérité du siècle.

— Tu sais à quoi ça sert un frigo?

— À mettre le lait et les légumes.

— Et les légumes, tu sais qui c'est?

— Ben, les légumes, c'est des légumes.

— Les légumes, c'est toi et moi. C'est lui. C'est tout le monde.

Ils m'énervaient. Je ne savais plus de quoi ils parlaient ni où ils voulaient en venir. Si les légumes étaient tout le monde, les mots ne signifiaient plus rien. Vexée, je me retranchai dans un silence buté. Serge crut enfoncer un clou en disant que le système construisait des frigos de plus en plus gros et des voitures de plus en plus grandes afin de mieux écraser les gens. Ça me paraissait la logique même. C'est bien parce que les choses étaient de plus en plus grosses que les gens paraissaient de plus en plus petits.

Si on les laissait faire, continuait Stéphane, ça n'aurait plus de fin. On finirait tous par devenir des insectes au service de la haute finance et des multinationales. La haute finance, je ne savais pas exactement qui c'était. Probablement les millionnaires qui construisaient les usines où l'on produisait la ferraille, tous ces richards qui s'enrichissaient sur le dos des pauvres en les inondant de frigos, de détergents, de gadgets miracles. Ça incluait sans doute aussi les faiseurs de produits artificiels, les fabricants de fast-food et de jello à trois couleurs. Le monde grouillait d'objets qui avaient pour seule fonction de vous abrutir dans la banalité et la course à la nouveauté.

— Maintenant, y a plus de place pour l'humain. Ta vie est commandée par Big Brother.

— Le système, c'est de la merde.

Ils revenaient au point de départ. J'y voyais une amorce de conclusion. Serge aurait dû comprendre qu'on n'était pas venus à la roulotte pour parler du système. Je voulais bien que la société revienne à une vie plus saine, mais je souhaitais d'abord être seule avec Stéphane. En ce moment, tous les trois, on perdait du temps. Serge finit par s'apercevoir qu'il était de trop. Il enleva ses lunettes de soleil, les frotta contre son jean, et les remit à cheval sur son nez. Enfin il se leva. Ses bottes avaient des talons de deux pouces et demi. Il les fit claquer l'un contre l'autre.

— Salut. On se verra demain.

— Salut.

Stéphane vint me rejoindre sur le divan et commença à m'embrasser. Il m'avait prise dans ses bras. Le reste m'indifférait. Je ne m'inquiétais plus de rien. Mon pouls claquait dans tout mon corps. Il battait dans ma poitrine, réchauffait la pointe de mes seins. Je n'étais plus un insecte. J'étais une fille amoureuse que des doigts agiles parcouraient.

Malheureusement Stéphane avait l'air triste même quand il me caressait. Il ne cessait pas de ruminer ses petites idées sérieuses. J'aurais voulu le voir sourire plus souvent. Quand ça lui arrivait, il se reprenait aussitôt, comme s'il avait commis une erreur.

— Pourquoi t'es toujours sérieux?

— Pourquoi?

— Oui.

— Pour rien.

— C'est pas normal.

— Comment je devrais être?

— Plus détendu.

— Je ne peux pas.

— Essaie.

— Tais-toi. Tu parles tout le temps.

Je me taisais. J'appesantissais ma nuque sur son bras et consentais à ne plus poser de questions. Le chant des cigales remplissait la roulotte de son vacarme. Ça pouvait tenir lieu de conversation. Les mains de Stéphane, si malhabiles lors de nos premières rencontres, devenaient éloquentes. Elles faisaient des staccatos sur mon ventre.

— Plus ferme le staccato. Touche la note et laisse-là aussitôt comme si ton doigt brûlait.

— Mais ça ne brûle pas.

— Fais-le quand même, disait ma mère.

Stéphane le faisait bien. Mais je préférais quand il jouait ses gammes en appuyant lentement sur chaque note. C'était difficile de lui expliquer ces nuances. Il était toujours pressé. À peine avais-je collé mes lèvres aux siennes, qu'il attrapait tout de suite ma langue comme s'il eût voulu s'en emparer. Affamé, il mordillait mes joues, ma gorge, mes bras. J'aurais préféré des caresses lentes, moins tendues vers le but qui supprimait les bonheurs du parcours. Je m'éloignais un peu afin de l'affamer. Il me rattrapait et abattait ses deux grandes mains sur mes épaules, commandant le rythme, le précipitant, fuyant les détours comme il l'eût fait sur sa moto.

Je me cramponnais à lui, faisant bientôt face au néant dépassé. Ce garçon ravageait à mesure le plaisir qui s'implantait en moi. Il déchaînait mon désir et le gardait en laisse au bout de ses doigts sans trop se soucier de le satisfaire. Il ne se rendait pas compte que tout se passait toujours trop vite. Je profitais des derniers soubresauts qui le secouaient, me dépêchant de recueillir les miettes de son désir tandis qu'il était encore temps. Il s'écroulait à mes côtés. Je savais que c'était fini. Ma respiration s'effaçait, à l'exemple de la sienne, et mes bras retombaient sagement sur le matelas.

Le soleil avait baissé. Il glissait vers la paroi nord de la roulotte, et l'ombre avançait sur nos pieds. Le

chant des grillons remplissait l'oreiller de ses grésillements aigres et me donnait tout à coup envie de musique. Je me mettais à fredonner doucement. Stéphane
cessait de regarder le plafond et se tournait vers moi.
Un sourire illuminait ses traits. Je trouvais que cela
avait valu la peine. Je souhaitais recommencer à ma
manière.

Il collait son nez au mien et disait «t'as quatre
yeux». Je prenais ça pour une déclaration d'amour.
J'en profitais pour enchaîner:

— Tu sais, j'ai trouvé un titre pour mon récit.
— Ça s'appellera comment?
— Les insectes.
— C'est ennuyeux.
— Je veux pas lâcher l'idée des termites.
— Alors dis-le autrement.

Nous en discutions pendant cinq minutes. Finalement nous nous mettions d'accord. Stéphane proposait *La Termitière*, et ça me paraissait ingénieux. Un
rayon de soleil frappait la tige métallique triangulaire à
laquelle était suspendu le lit. Il était quatre heures. Je
criais: «L'autobus sera déjà parti!»

Nous enfilions nos vêtements en vitesse et sau-
tions sur la Honda qui se mettait à pétarader de tous
ses feux. Le vent séchait la sueur sur nos corps à
mesure que les rues se précipitaient derrière le rétroviseur où apparaissait enfin l'école. La termitière crevait
ses abcès. À la surface du béton, apparaissait une multitude de points noirs et grouillants. Les autobus
étaient saisis d'assaut par la meute d'étudiants qui s'y
engouffraient. Je redevenais un insecte minuscule

perdu dans le gigantisme du nombre. Je disais bonjour
à Stéphane en lui pressant la main. Il repartait dans un
nuage de poussière qui le couvrait d'honneur.

Certains soirs, les autobus avaient déjà quitté la
place lorsque nous atteignions la cour de l'école. Stéphane lâchait un juron. Il n'aimait pas se déranger
pour moi. Il traversait tout de même la ville afin de me
conduire à la municipalité voisine où j'habitais. Tassée
sur l'arrière du siège, je me réjouissais de pouvoir rester collée à lui plus longtemps. Une élémentaire prudence recommandait d'arriver à l'heure où le transport
scolaire avait l'habitude de nous déposer. Les parents
ne connaissaient pas exactement l'emplacement de ce
lieu d'arrivée. Ils étaient trop heureux de nous savoir
partis pour la journée.

Le bungalow de briques blanches m'attendait à
l'intersection de deux rues calmes. J'habitais un quartier aisé. Ma mère avait épousé un jeune fonctionnaire
— issu d'une classe inférieure à la sienne — qui con-
descendit par la suite à tous ses caprices afin de se faire
pardonner cette faiblesse initiale.

En arrivant, je m'attardai sur la terrasse où flottait l'odeur des immortelles non encore coupées.
C'était une façon de prolonger mon bonheur. Une ruse
qui retardait le contact avec ce qui le mettrait à
l'épreuve dès que j'aurais franchi la porte.

Ma mère se protégeait du soleil comme d'une
calamité. Je la trouvai assise dans la pénombre du
salon frais où l'on n'entrait que les jours de réception.
Elle paraissait faire corps avec le décor autrefois choisi
parmi ceux que Eaton et La Baie offrent aux dames

chic. Un papier peint à rayures bleu lavande se répétait
sur des fauteuils de même ton placés en arrondi de chaque côté du canapé broché derrière lequel trônait la
bibliothèque chargée de sa rangée de prix Nobel, de
son Histoire universelle en douze tomes et de ses rayons
de livres, tous pareils, habillés de maroquin bourgogne.

Elle interrompit ses exercices de piano et me
regarda, le visage alangui par une mélancolie douce
qui atténuait les risques d'affrontement. En lui voyant
cette expression, je regrettai de ne pas être assez proche
d'elle pour tout lui avouer. Sensible à l'opinion d'au-
trui, elle rougissait de devoir avouer à ses amies que
j'avais échoué à l'école publique. Elle s'en tirait par
des arguments modernes — «Aujourd'hui, vaut mieux
être plongé tôt dans la massification», ou des astuces
philosophiques qui ne dupaient qu'elle-même — «la
force d'esprit se développe au prorata des obstacles à
vaincre».

Un sourire, qui ne m'était peut-être pas destiné,
effleura ses lèvres. Elle s'informa:

— T'as passé une bonne journée?
— Très bien merci.
— En physique, tu te débrouilles?
— Ça va.
— Et ton nouveau professeur?
— Bof.

Ma mère était une femme intelligente. Elle com-
prenait ce que ce bof sous-entendait. Elle avait, semble-
t-il, opté pour le calme. Elle ne me tenait plus grief de
mon désordre, de ma paresse, de mes négligences.
Mon apparente bonne volonté lui permettait d'espérer

une amélioration réelle. Le soin que j'accordais maintenant à mes vêtements et à ma coiffure — je ne coupais plus mes cheveux à la garçonne et apprenait à me maquiller avec art — laissait croire que je consentais à devenir une jeune fille acceptable. Une jeune fille qui, à défaut de la rendre fière de sa descendance, ne l'en ferait pas rougir.

Certains jours, elle reconnaissait qu'il eût été préférable d'avoir un garçon. L'éducation, moins liée aux apparences, aurait été plus simple. Malgré tout, elle ne capitulait pas. Comme une somnambule, elle continuait de rêver pour moi d'un charme fait de retenue, de mises en plis soignées, de diètes et de régime. Elle ne voyait pas cette joie, venue de l'intérieur, qui éclatait surtout sur mon corps. Ma mère avait oublié que l'amour embellit. Je me transformais à vue d'œil, et elle parlait culture physique, diplômes, massages et cures d'amaigrissement. Afin d'enflammer mon courage, elle me citait le nom de femmes affreuses qui avaient réussi, par la constance de leurs efforts, à se créer une réputation d'élégance enviable.

Elle alla même jusqu'à m'acheter un tailleur dans lequel je paradai comme un mannequin. Lorsque Stéphane le vit, il rit à se tordre. «C'est avec ça que tu vas enfourcher la Honda?» Je le replaçai sur son cintre, dans la penderie, et ne le portai plus. Ma mère crut avisé, par la suite, de s'en tenir aux chandails anglais et aux jupes de flanelle. Le jean, qu'elle associait aux classes ouvrières, lui répugnait.

Cette fausse sagesse me valut des privilèges. Mon père m'offrit des billets de cinéma, et l'on me dispensa régulièrement de la vaisselle, alléguant que j'avais des devoirs à faire. Je n'en avais remis aucun depuis le début du semestre, il aurait été inconvenant de m'y mettre. Je m'empressais néanmoins de goûter la paix offerte. Aussitôt ma porte de chambre refermée, j'étais tentée d'écouter un disque, mais je m'en abstenais. Il aurait été imprudent d'attirer leur attention à un moment où j'étais censée travailler. Je devais me contenter de tendre l'oreille à ma musique intérieure, un andante en mode majeur soutenu par une note douce, un peu tendre, qui maintenait la mélodie rivée au même accord.

Je me laissais prendre à l'enchantement du plafond renversé au-dessus du lit, et partais en voyage suivant l'itinéraire prescrit par les craquelures du plâtre. Certaines d'entre elles remontaient à mon enfance et offraient des issues que je connaissais par cœur. Je m'engageais dans une avenue bordée d'ormes. J'enjambais la distance qui me séparait d'une voie parallèle, un peu éloignée, que je remontais en chantant. J'arrivais à un carrefour où je me perdais et tentais de repérer une direction déjà suivie, mais désormais introuvable. J'optais pour un sentier touffu pressé entre deux raidillons qui se rapprochaient et finissaient par tomber dans un lac hexagonal qui s'agrandissait chaque printemps à la fonte des neiges.

La rose des vents m'appelait. Je repartais à grande allure, et des visages familiers me croisaient en cours de route. Certains me reconnaissaient au premier coup d'œil, d'autres y mettaient plus de temps. La comtesse de Ségur était là, perdue dans ses crinolines et ses rêves, avec Sophie qui pleurait et ne cessait d'inventer des coups pendables. Le Petit Poucet n'avait pas changé. Il me saluait de son hochement de tête timide et gauche. Je faisais un détour pour éviter le Chat Botté. Je n'ai jamais beaucoup aimé les chats. Tout compte fait, je préférais l'ogre. Ses manières brutales étaient assez franches pour qu'on ne s'y laissât pas prendre. Barbe-Bleue me fascinait. Cette façon qu'il avait de séduire ses conquêtes afin de mieux les égorger était inimitable.

Stéphane aurait bien pu être un de ses descendants. Il avait dû hériter, par quelque alliance remontant à un neuvième ou dixième lit invisible, de cette férocité maladive qui lui ferait, en temps et lieu, faire le tri de ses amours et de ses droits. Une cruauté éclaterait en lui un jour, dont j'étais destinée à payer les frais. Je ne savais ni où ni comment, mais j'étais sûre que cela se produirait. C'était pourtant cette force arrogante que j'aimais. Elle errait jour et nuit sur ma peau, me baignait de sueurs et de pensées extravagantes. Elle étayait ma faiblesse, me donnait l'envie d'aventures invraisemblables, le goût d'un courage excessif.

Les bruits se taisaient dans la cuisine. Il ne faisait pourtant pas encore nuit. Quelque chose se passait, ou allait se passer, qui nous mettait en avance sur le temps. Allongée sur le dos, je cherchais à dégager du plafond une fissure capable de me restituer une durée rassurante, mais elles se précipitaient toutes dans la veine hachurée qui conduisait à la fenêtre, à l'obscurité grandissante.

Un cognement discret frôla ma porte. J'attrapai un manuel de chimie de l'année précédente. Il s'ouvrit de lui-même à la vingt-sixième page. Ma mère entra et sourit de me voir enfin studieuse.

— Tu étudiais?

— Oui.

— C'est difficile?

— Assez.

Elle était en beauté. Elle avait relevé ses cheveux de chaque côté des oreilles, et s'était parfumée. Ses yeux étaient magnifiquement tracés au rimmel derrière le désordre des longs cils. Je comprenais que mon père ait déjà été fou d'elle. Elle s'approcha du miroir et souleva un bandeau de sa chevelure afin de rattraper une mèche qui s'en détachait. Elle tourna les yeux de côté comme pour se faire violence, puis elle les ramena vers le miroir et se regarda longuement. Quelque chose la tracassait. Sa voix se fit très lasse.

— C'est difficile d'être heureux. On fait des rêves. On construit des châteaux en Espagne. C'est pourtant la vie qui a le dernier mot.

Elle voulut ajouter autre chose, mais la phrase qu'elle essayait de former se brouilla dans sa gorge. Je me sentis coupable. J'avais souvent tué ses rêves. Je ne pouvais rien pour elle. Toutes deux, nous passions ainsi notre temps à nous blesser sans le vouloir. Mes seize ans me torturaient. Au lieu de lui demander à quoi elle rêvait, je fermai les yeux et me tournai vers le mur.

Ma mère crut que je m'étais endormie. Elle éteignit la lumière et sortit sans bruit.

III

— Fille stupide. On arrivera peut-être à faire quelque chose avec toi.

Stéphane était généreux. De temps à autre il me faisait un compliment. Il avait appris, par une jeune secrétaire à laquelle il faisait la cour, à quel moment les contrôles de présence s'effectuaient dans la termitière. Nous assistions au cours pendant lequel la liste des absents était dressée, puis nous filions vers la roulotte, un sandwich et des bouteilles de Pepsi sous le bras. C'était tout ce qu'il nous fallait pour vivre.

Nous n'avions pas vu octobre passer. Autour de nous, les gens se plaignaient du froid, des feuilles qui commençaient à tomber. Juchés sur la Honda, nous fendions l'air en déplaçant des trombes de couleur. La saison ne nous atteignait pas. Sous la peau, notre sang était brûlant.

Nos paysages à nous étaient torrides. En deçà des

brûlures incrustées dans le toit de la roulotte, des mirages se formaient, jamais les mêmes, qui appelaient
notre avidité. Nous avancions à toute vitesse, pressés
d'atteindre ce qui nous avait envoûtés. Un spasme
nous recourbait les épaules, et le mirage disparaissait.
Nous le poursuivions, mettant toutes nos énergies à le
rattraper. Bientôt, un face à face foudroyant nous ter-
rassait. La terre nous entraînait dans sa giration. Nous
nous regardions, émus, possédant la tranquille assurance que nous recommencerions sans jamais nous
lasser.

J'avais appris à conformer ma démarche à celle de
Stéphane et à ne plus lui poser de questions. De son
côté, il avait cessé de prendre les devants sans se soucier de moi. Il devenait patient, ralentissait son allure
lorsqu'il commençait à me distancer, acceptait même
de revenir en arrière pour me permettre un nouveau
départ. Je prenais cependant garde d'exhiber mon
triomphe. Je ne voulais rien gâcher.

Quand nous étions séparés, rêver à lui devint ma
principale occupation. Mon imagination était géné-
reuse. Elle complétait les mots qu'il n'avait pas osé
dire, les gestes qu'il n'avait pas su faire. Elle répétait
l'ABC de nos rencontres, l'ornait de tendresses inat-
tendues, d'ivresses extravagantes. Elle le hissait à la
hauteur d'un rituel dont la valeur croissait avec le
temps. Mes jours et mes nuits étaient remplis par la
pensée, la voix, le visage de Stéphane. Il se roulait avec
moi dans les herbes sauvages, m'entourait de ses bras,
et nous exposions l'un à l'autre nos habits de lumière.

Je me vautrais dans la chaleur de son corps, creusais mon nid au fond de ses silences.

Le sommeil me rejoignait souvent très tard. Il débordait sur mes journées et me suivait à la salle de cours.

— Qui a découvert le premier une méthode pour mesurer la vitesse de la lumière?

Mes yeux clignotaient sous le choc d'une lumière trop crue. Ils s'embuaient et se refermaient malgré moi. Le professeur attendait ma réponse. Il finit par vociférer:

— Roemer. Vous entendez? Roemer!

Il criait inutilement. Je n'avais rien à dire. Ça m'était d'ailleurs égal que ce fût Roemer ou un autre. La lumière était là, et le soleil brillait pour tout le monde. Cela me suffisait amplement. Il allongea un doigt menaçant sur mon cartable, courant au devant des coups qui fouetteraient son exaspération.

— Le devoir, vous l'avez fait?

C'était une question que les autres professeurs ne posaient plus. Un calcul très simple leur permettait de comprendre que si l'omission des travaux devait conduire à l'exclusion, les trois quarts des élèves auraient dû être renvoyés. Ils se taisaient donc. Leur opinion comptait d'ailleurs peu. Coincés entre des recyclages obligatoires et des déclassements automatiques, ils montaient et redescendaient sans cesse les gradins d'un échafaudage à salaires fixes. Plusieurs oscillaient entre le désir de travailler comme ouvriers dans des usines de cerveaux préfabriqués, et celui, plus réaliste, de devenir vendeurs d'assurances, de pâte dentifrice ou d'appareils ménagers. Certains rêvaient de lâcher pour de bon le mythe de Sisyphe et d'être respectés.

Le professeur de physique n'avait pas l'étoffe d'un philosophe ni celle d'un commerçant. Il éclata.

— J'ai fini de parler à des caves qui ne veulent rien savoir! Occupez-vous pendant le reste de la période.

Quelque chose se détraquait dans la machine et sonnait l'alerte dans la classe anesthésiée. Les parents criaient: «On se fend en quatre pour vous faire instruire et vous êtes même pas capables de réussir. Vous irez chercher ailleurs vos transistors et vos bicycles à dix vitesses!» Les mollusques se réveillaient, subitement soutenus par des ressorts invisibles. Les gars ramassaient leurs jambes, et les elfes renvoyaient leurs cheveux derrière les oreilles. D'un commun accord, nous ouvrions nos cahiers de PSSC tandis qu'un silence de mort s'abattait sur nous. Le professeur ne voyait rien. Désinvolte, il allumait une cigarette et portait son regard vide à la hauteur des fenêtres.

«*Si vous étiez debout sur la lune*, proposait le manuel, *à un endroit où la terre apparaîtrait directement au-dessus de vous, que verriez-vous dans le ciel, en supposant que, de la terre, on voit la lune comme étant pleine à cet instant?*» C'était écrit en français barbare. Je relus le texte trois fois et, lorsque je fus certaine d'avoir compris, je me mis à examiner la terre. De là-haut, elle ne paraissait guère plus grande qu'une tache d'ombre dévorée par des fourmis. C'était bien la peine de tant se démener pour en arriver là: être un insecte parmi d'autres, un corps minuscule que n'importe qui pouvait écraser du revers de la main.

L'inverse était possible. On suggérait aussi de rester sur la terre et d'examiner la lune. Agrippée à un
module lunaire, je tournais le dos aux mers de Pepsi
qui clapotaient dans des écoles vides, aux amoureux
frappés de fièvre, aux femmes serpents et aux enfants
monstres qui encombraient les rues. La lune tanguait,
radieuse, au-dessus de ma tête. Des cratères sirupeux
écumaient leurs pierres précieuses et leurs diamants sur
mes doigts. Je semais mes vêtements sur les plages spa-
tiales où je me faisais bronzer. Stéphane arrivait, cata-
pulté par un météore. Il m'embrassait et me demandait
en mariage. C'était le bonheur suprême.

Ma mère s'affairait aussitôt à préparer la noce.
Elle courait chez la modiste, la couturière, le pâtissier,
la fleuriste, et organisait un *shower* pour célébrer mes
fiançailles. Une douzaine d'orchidées trônaient sur la
table de la salle à manger. Les commères chuchotaient
dans les coins que je n'étais plus vierge. Ma mère
approchait chacune et lui tendait la main. Ses dents
formaient un collier de perles tremblantes au-dessus de
son cou. Je craignais de voir casser le fil qui soutenait
tant de charme, mais le fil tenait bon et ma mère continuait de sourire.

Pendant deux jours la maison avait retenti de ses
cris. Sa colère se heurtait à l'inertie des choses qui refusaient d'absorber la dose d'élégance qu'elle espérait
leur insuffler. J'étais bientôt accusée de participer à
cette conspiration. À elle seule, ma présence l'exaspérait. J'étais la masse informe qui faisait tache dans le
décor, la faille ouverte à l'échec qui ne cessait de la

hanter. J'avais beau m'ingénier à me fabriquer une attitude qui fût conforme à ses désirs, elle n'était jamais satisfaite. Je renonçai alors à lui plaire et m'enfermai dans ma chambre, attendant le coup de sonnette qui accomplirait un miracle.

Enfin, il retentit. La violence se transforma aussitôt en harmonie, et l'aigreur tourna au miel. Mon père, qui avait refusé de participer aux préparatifs, se leva pour accueillir les invités. Les femmes avaient dissimulé leur âge sous de lourds parfums et de riches crèmes vitaminées. Elles avaient encadré leur visage de boucles juvéniles et agrandi leurs yeux d'une ombre verte. Enfoncées dans nos fauteuils Louis XV, elles pointaient leurs seins vers les hommes inclinés vers elles qui riaient avec finesse. Ils avaient taillé leur moustache et endossé leur plus beau complet. Tout était prêt pour le spectacle.

Entre deux reparties, les femmes jaugeaient leurs atouts et mesuraient leur force. J'étais peut-être la seule personne à saisir l'œil froid qui se détachait d'une paupière, allait frapper un mollet aplati, un maquillage excessif, un bijou vulgaire, et revenait se placer au centre du regard comme si rien ne s'était passé. Derrière le bouclier des cils à demi relevés, un duel s'engageait qui ne respectait pas toujours les règles. Ma mère, qui était la plus belle, était la plus souvent touchée. On ne lui pardonnait pas son assurance de grande dame et ses manières trop parfaites.

Lorsque les hommes se montraient sensibles à ses charmes, ses rivales lui décochaient une flèche. Ma mère se mettait alors à parler de la dernière pièce de théâtre qu'elle avait vue, ou de celle qu'elle irait bientôt voir. Les autres femmes enchaînaient, et le salon devenait infesté de culture. Comme une matière grasse, ça leur sortait par tous les pores de la peau. Revenant à l'événement de temps à l'autre, on me complimentais sur ma bague et on prenait des photos. Stéphane bâillait. Je craignais qu'il ne passe la porte pour aller cavaler en moto.

Griffes tendues, les invitées abattaient leurs mains de chatte sur les canapés qui circulaient. Une crispation tirait mes bras vers l'arrière afin de les préserver de l'avalement. Mais leur appétit paraissait insatiable tant elles s'accrochaient à la dernière miette. Tandis que mon père s'affairait à servir l'alcool et à vider les cendriers, ma mère insistait pour que les chattes se servent une dernière fois. Cela me crevait le cœur. Les canapés étaient trop parfaits pour être dévorés de la sorte.

J'aurais voulu proposer de suspendre la cérémonie. La future mariée n'était pas vierge. On se donnait beaucoup de mal pour rien.

Eux prolongeaient les festivités. La conversation s'engluait dans un ronronnement douceâtre coupé par les gros rires des hommes qui avaient commencé à parler de sexe. À mesure qu'ils se dépouillaient de leur carapace mondaine, ils montraient les dessous de leur petite façade bien astiquée. Même s'ils avaient les cheveux poivre et sel, ils nous ressemblaient étrangement. Comme nous, ils avaient peur et cherchaient à se rassurer.

Blottis dans le halo jaune du lustre suspendu au-dessus de leurs têtes, ils parlaient tous ensemble, ne se doutant pas que je les regardais. Ils ne savaient pas que, à ce point resserrés et minuscules, ils paraissaient grotesques. Des mille-pattes glissaient sur ma rétine et se posaient sur le mur d'en face. Je les trouvais minables.

Stéphane n'avait jamais mangé de canapés aussi fins. Il ne connaissait que les hamburgers à la *relish* et les hot-dogs à la moutarde. Il refusait de me voir jouer la comédie de l'héroïne du bel amour à mettre en cage. Pour le réconforter, j'allai m'asseoir à ses côtés et mis ma main dans la sienne. Il fixa ma bague d'un regard dur.

Un mille-pattes escaladait sa paume. Il l'observa un instant, puis l'écrasa contre son index en pouffant de rire.

Il n'y avait plus de temps. Il n'y avait plus d'espace que celui que Stéphane et moi inventions. Les jours défilaient, rythmés par nos allées et venues à la roulotte. Le soleil pâlissait, mais nous sentions venir l'été des Indiens.

Ce gris or de l'air me grisait. J'aimais cet assoupissement des choses qui aplanissait l'aigu des surfaces. J'aimais aimer jusqu'à perdre la mémoire de tout ce qui était étranger à l'amour.

Depuis que Stéphane me fréquentait, le monde environnant avait cessé d'exister. Je ne voyais plus les cours auxquels je continuais d'assister, ni les couloirs de la termitière, ni les déchets encombrant le parquet de la cafétéria. Je ne voyais pas les semaines passer. Je voyais à peine ma mère qui hurlait en face de moi.

— Tu veux devenir serveuse de restaurant ou opératrice de machine?

L'interrogation n'appelait pas de réponse. Elle contenait sa propre mesure d'indignation. Ronde et juteuse, elle pendait aux lèvres de ma mère comme un fruit mûr qui menaçait depuis longtemps de tomber.

— Et tu n'as rien à dire?

Je n'avais rien à dire. Je rétablissais l'équilibre du silence, opposant mon apparente placidité à la virulence de ses cris.

Ma mère plaça sa voix entre deux notes graves et commença à faire la lecture de mon bulletin. J'avais zéro en physique et en mathématiques. J'échouais en initiation à la musique et en méthodologie du travail intellectuel. J'avais tout juste la note de passage en français. Elle articula la moyenne générale en prenant soin de détacher les six dixièmes qui la complétaient. Puis elle me regarda, et déchira le bulletin. Ses pieds effectuaient une danse étrange au-dessus des papiers émiettés. J'eus tout à coup peur de son désespoir et de sa rage.

— Les examens étaient difficiles. J'ai eu de la peine à saisir.

— Saisir! Il s'agit bien de saisir.

— L'école est nouvelle. Il faut me laisser le temps.

— Tu n'as jamais cessé de me décevoir, et ta vie ne sera jamais assez longue pour me faire souffrir à ton goût.

Sa voix frappait l'air avec la rapidité de la foudre. Je la vis tordre ses mains et les presser contre ses cuisses, comme pour débarrasser son corps d'un sortilège qui l'enchaînait. Son visage devint gris. Je me mis à trembler. Elle attendait que j'ouvre la bouche. Je me jetai à ses pieds et dis n'importe quoi.

— Je ferai mieux. Je te le promets.

Mon visage s'était rapproché de ses mains. Une gifle lacéra mon front et y imprima le brusque arrêt du temps. Sous mes paupières rabattues, l'univers chavirait. Je ne sentais plus rien. Rien ne me rejoignait plus que la honte.

Lorsque mon corps me redevint perceptible, j'ouvris lentement les yeux. Ma mère se tenait droite, soudain tranquillisée. Je mesurai la distance qui me séparait de la porte et, titubante, je me levai et avançai sans retourner la tête. J'étais dehors, et le froid ne me faisait pas tressaillir. Je marchai longtemps sans savoir où j'allais. Les rues étaient sombres, et je fonçais dans l'obscurité comme une bête farouche. J'avais changé de quartier. Les abords de la grand-route s'annonçaient. Je commençai à faire de l'auto-stop sans savoir quelle direction je prendrais.

Les voitures allaient quelque part. Il suffisait d'en
arrêter une. Ma rage baissait. L'air glacé commençait
à me faire claquer des dents. Les voitures surgissaient
brusquement derrière le viaduc, me cernaient de leurs
yeux jaunes et poursuivaient leur chemin. Je misais
toujours sur la dernière, mais elle était la plupart du
temps occupée par un couple, et je savais que la femme
était contre moi. Je n'étais pourtant pas dangereuse.
J'étais lasse et une grande solitude me remplissait.

À travers mes larmes, je fixais la route, ne voyant
que des lueurs jaunes entrecoupées de lignes noires qui
fuyaient. Ma main était restée suspendue dans l'air.
Un crissement de pneus me fit soudain tressaillir. La
portière d'une voiture s'ouvrait. Je m'essuyai le visage
et m'installai à côté du chauffeur. Il faisait bon dans sa
voiture. Une rengaine sentimentale montait du haut-
parleur. L'homme paraissait affable et compréhensif.
Je me serais bien laissée aller à dormir.

— La famille?
— Ma grand-mère.
— Vous la connaissiez bien?
— Je vivais avec elle.
— C'est arrivé quand?
— Il y a une heure.

L'homme me regarda avec le respect dû aux personnes en deuil, et se tut pendant un long moment.
J'en profitai pour examiner la voiture. Elle était d'une
propreté rassurante. Des cartes et des dossiers étaient
empilés sur la banquette arrière. Dieu merci, j'étais
tombée sur un honnête travailleur.

— Vous travaillez de nuit?
— De jour. Mais les journées sont longues.
— Qu'est-ce qui vous retient si tard?
— Un mur de soutènement le long du canal. Il doit être achevé dans trois semaines.

Je ne savais pas à quoi servirait ce mur, ni de quelles eaux il s'agissait. Mais cet homme endiguait des forces que les glaces paralyseraient bientôt. Cela m'impressionnait. Je voulus en savoir davantage.

— Vous avez des enfants?
— Une fille d'à peu près votre âge.
— Elle est belle?
— Je n'ai jamais remarqué, je crois que oui.

Je me demandais ce que mon père aurait répondu si on lui avait posé la même question. Peut-être n'avait-il jamais remarqué non plus. Je venais de quitter la maison sans le saluer ni même le voir. Cela me tourmentait, mais il était trop tard. Avec les parents, on fait toujours le contraire de ce qui est souhaité. Pour leur plaire, on voudrait être premier en tout, et c'est impossible. Alors, ils nous en veulent de les décevoir, et on se détache d'eux.

La voiture filait, et je rêvais d'un long départ, d'une aventure interminable. Mais il me fallait prendre une décision: savoir où je passerais la nuit. Je pensai rapidement à mes amies. Aucune ne m'était assez proche pour comprendre ce qui m'arrivait, et faire des confidences me répugnait. On ne raconte pas à n'importe qui qu'on est amoureuse d'un gars ordinaire, et que votre propre mère vient de vous flanquer une gifle.

Je regardai le type. Il aurait peut-être compris, mais il paraissait pressé de rentrer chez lui. Je préférai lui laisser l'illusion de mon deuil. Perdre sa grand-mère est une chose qui arrive couramment.

— Elle est morte subitement?

— En deux minutes.

— Où est-ce que vous allez comme ça?

— Chez ma tante. Elle habite tout près d'ici.

Mon doigt pointait une maison à toit rouge. Je venais d'apercevoir le centre commercial où j'allais parfois faire les courses avec ma mère le samedi matin. L'étranger me tendit la main et me souhaita bonne chance. J'eus envie de me jeter dans ses bras et de l'embrasser. Quelque chose m'en retint. Après tout, je ne le connaissais pas. Et j'avais déjà entendu dire que des pères de famille violent des filles de mon âge.

Je traversai rapidement le parking du centre commercial et repérai sans difficulté la boîte téléphonique où j'avais déjà placé des appels clandestins tandis que ma mère, friande d'économie, hésitait entre la dinde Provigo et l'entrecôte Steinberg.

— Stéphane, je voudrais te voir.

— T'es pas folle?

— C'est sérieux.

— Qu'est-ce qui se passe?

— J'ai quitté la maison.

— En pleine nuit? Je te félicite.

— Tu veux pas m'aider?

— J'ai pas dit ça.

— Alors, fais quelque chose.

— Laisse-moi le temps de me faire une idée.

Le récepteur tremblait dans ma main. Je me disais: s'il ne fait rien, je ne le verrai plus jamais. Un type qui laisse tomber une fille en pleine nuit est un lâche. Si je comptais un peu pour lui, c'était le moment de le prouver.

J'attendais, et des grésillements chuintaient le long du fil. Le silence était cassant. Pour finir, j'entendais soupirer Stéphane.

— T'as toujours pas d'idée?

— Laisse-moi le temps.

— Je peux pas aller chez toi?

— T'es timbrée? T'as déjà éveillé toute la maisonnée.

Il soupira une deuxième fois. Je sentis que je lui en demandais trop. Il y avait une église proche. J'aurais pu aller sonner au presbytère et demander un coin où dormir, mais c'était lui qui devait me dépanner et personne d'autre. Un gars qui couche avec une fille doit être capable de lever le petit doigt pour elle en cas de coup dur.

Il parla enfin. Il me dit de patienter, que dans deux minutes il serait là.

La nuit était noire comme de l'encre. J'évitais de bouger car le moindre déplacement d'ombre me faisait sursauter. Un chat vint me frôler les jambes. Je poussai un cri et ne me sentis rassurée que lorsque je vis qu'il était blanc.

Le vent soufflait des bouffées d'air humide sous le portique où je me tenais. Il roulait de part et d'autre du parking des tourbillons de feuilles mortes qui fai-

saient entendre un bruit de papier froissé. Il me semblait que des fantômes surgissaient de partout. Ces
figures sans visage que l'éclairage rendait floues
accroissaient ma détresse. Pour me protéger, j'accro-
chai mes yeux au lampadaire qui éclairait l'entrée principale et m'efforçai de penser à des choses gaies.

Au loin, une moto vrombissait. C'était Stéphane.
Il approcha, jeta son blouson sur mes épaules et me dit
de monter. J'obéis en silence. Raconter les circonstan-
ces de ma fugue eût blessé mon orgueil.

Je m'agrippai à lui, et la chaleur de son corps me
redonnait confiance. Mais sur la route, la moto me
paraissait beaucoup plus petite que dans les rues de
banlieue. Dès qu'un camion nous doublait, nous col-
lions à son pare-chocs, happés par le mouvement d'air
déplacé, puis nous nous en distancions au fur et à
mesure que le véhicule obliquait vers la droite. Cette
course effrayante, la peur de circuler à grande vitesse
entre des véhicules lourds avait au moins le mérite de
me distraire de mes pensées.

Stéphane s'engagea sur le pont Jacques-Cartier.
Je ne lui demandai pas où il me conduisait, ni comment il s'était arrangé pour quitter la maison. À voir sa
tête, je comprenais que ça n'avait pas été facile. Il
avait dû essuyer une bonne engueulade, mais j'étais
trop fatiguée pour me sentir coupable. Je ne souhaitais
qu'une chose, entrer au plus tôt dans une maison
chaude et m'y terrer sans rendre de comptes à personne.

À Montréal, les rues étaient silencieuses. Et la
moto pétaradait à fendre l'âme des morts. C'était

scandaleux. On ne devrait jamais permettre à une moto de circuler la nuit. Sur Craig, quelques clochards nous saluèrent en agitant la main. Pour la première fois nous étions solidaires: je me cherchais un toit où dormir. La ville ronflait. Même la place Jacques-Cartier était déserte. Dans l'obscurité, un air de violon filtrait par une ruelle. C'était plutôt triste. Stéphane stoppa la moto au 73 de la rue Saint-Sulpice et m'indiqua une porte délabrée.

— Aie pas peur. C'est pas un gars à fille.

— T'es sûr?

— Je te le dis. Il était avec nous l'année passée.

L'escalier était un trou noir. Nous cherchions les marches en tâtonnant. Une fois sur le palier, Stéphane me tira par la manche et frappa doucement. Personne ne bougeait. Il frappa une seconde fois. Un grand type roux en pyjama rayé entrouvrit la porte. Il était mince comme une fille et avait de grandes mains pâles.

— Salut.

— Tu pourrais me la garder? Elle sait pas où coucher.

— Entrez.

— Il faut que je retourne. Ils sont pas de belle humeur à l'autre bout.

Stéphane dégringola les marches de l'escalier avant que je n'aie eu le temps de l'embrasser. Je me trouvais seule avec le type, et je ne savais pas quoi dire. C'était la première fois que je rencontrais ce genre d'homme. Je me demandais s'il fallait lui parler comme à un garçon ou à une fille.

— C'est grand.

— Ça l'était encore plus avant. J'ai élevé cette cloison pour séparer la pièce en deux.

— T'as l'air pas mal en décoration.

— Je fais un cours aux Beaux-Arts.

Il me disait «viens voir» en me touchant presque la main. Je n'y trouvais rien à redire. Après tout, les Grecs étaient des gens civilisés et plusieurs d'entre eux s'étaient aimés entre hommes. Il me faisait traverser la pièce, un ancien grenier tranformé en appartement. Les murs étaient peints en rose vif. Cette couleur se répandait en tons dégradés sur les coussins, les tapis, les rideaux, et même le velours du divan. Des dessins psychédéliques mauves et rouges ondulaient en face de moi. Une débauche de couleurs m'entourait. J'y prenais goût et commençais à me sentir bien.

Il leva la main vers les combles où s'entrecroisaient une masse de poutres et de solives en bois brut. C'était simple et magnifique, à la fois inattendu et familier. Dans la pièce voisine, un abat-jour orange pendait au-dessus d'une table ovale entourée de quatre chaises en pin. Quelques vieux cuivres brillaient entre des chapelets de haricots séchés. Le lavabo débordait d'assiettes sales. Sur toute la longueur du mur, des portes s'ouvraient dans un bâillement interminable. J'avais hâte d'aller dormir, mais il insistait pour que je visite les chambres.

— Voici la chambre des maîtres.

— Des maîtres?

— Oui.

Un lit, grand comme un bateau, occupait à lui seul la moitié de la pièce. C'était, paraît-il, d'influence

Empire et ça avait été déniché à l'Armée du Salut pour quelques dollars. Il y avait encore beaucoup de velours. Du bleu sombre éparpillé un peu partout. Ça faisait lourd et royal. Ses goûts me paraissaient osés. À la maison, j'avais toujours vécu dans du jaune or, du bleu lavande ou du vert plat.

Une porte s'ouvrit derrière moi. Je faillis crier. Un mannequin se tenait au garde-à-vous, casqué de fer et revêtu d'une cotte de mailles. À ses pieds, une paillasse était ouverte aux trois quarts. Derrière, un pichet et un bassin de faïence blanche détachaient la netteté de leurs lignes sur un long rideau noir. Pour tout mobilier, je voyais une table bancale où languissait une araignée géante dont le corps, fait de papier mâché grisâtre, reposait sur de fines pattes en fil d'aluminium.

— Qu'est-ce que c'est?

— Une idée extravagante de Camille. Il vient coucher ici de temps à autre.

— Tes amis sont schizophrènes?

— Ne crains rien. Il ne viendra pas cette semaine.

Je fonçai vers la porte suivante. Un panneau de bois, soutenu par des chevalets, était couvert de pots de gouache, de cartons et de pinceaux. Les murs étaient tapissés de bandes de tissus multicolores. Des piles de journaux et de magazines sortaient d'un coffre ancien au-dessus duquel une femme nue montrait son dos. J'hésitai. Pour me rassurer, il me dit que c'était une reproduction de Picasso.

Cette pièce était agréable. On avait peint la fenêtre en vitrail, et rien ne paraissait avoir été rangé depuis longtemps. Tout avait dû s'empiler au fil des jours et

des humeurs. Ces couleurs et ce désordre me fasci-
naient. Je lui dis que c'était là que je voulais dormir. Il
apporta un lit pliant, et je me laissai tomber dessus. Il
parut gêné, comme s'il redoutait une scène de séduction.

Pour le mettre à l'aise, je fermai les yeux.

— Tu t'appelles comment?

— Jean-Claude.

IV

J e m'éveillai et le soleil était déjà haut. Des cloches
sonnaient à toute volée. Je m'approchai de la fenêtre pour voir ce que l'on célébrait. Il avait neigé, et la
rue était couverte d'une couche épaisse que les piétons
n'avaient pas entamée. L'éclat de la lumière m'éblouissait. J'ouvris les volets, allongeai le cou et laissai ma
tête osciller pendant quelques minutes dans l'air froid,
comme si j'attendais l'impulsion qui l'eût jetée dans le
vide. Rien ne vint l'arracher aux épaules et la précipiter
contre la chaussée. J'y vis un signe du destin.

Sur la gauche, pointait la tour de l'église Notre-
Dame. J'étais tout près du paradis. Ce n'était pas le
moment de faire des bêtises.

Un pigeon vint se poser près de mes mains que
j'ouvris pour l'inviter à s'y poser, mais il frôla mes
paumes de ses plumes chaudes et disparut. Un brouil-
lard couvrait mes yeux. Je fermai la fenêtre et attendis

que le malaise se dissipât. Mais il persistait. J'eus à
peine le temps d'aller mettre de l'eau à bouillir qu'un
spasme me broyait l'estomac. Je courus à la salle de
bains vomir le sirop gluant qui emplissait ma gorge.
Puis j'actionnai la chasse d'eau, et tout disparut dans
un clapotis jaunâtre.

Soudainement inquiète, je m'approchai du miroir
et tirai la langue avec une application médicale afin de
comprendre ce qui m'arrivait. Elle était blanche et
râpeuse, ourlée d'un frémissement rose. Avec une
application presque médicale, je la tirai davantage afin
de voir ce qu'elle dissimulait. Elle s'empourpra et se
mit à frémir. Je la lâchai et m'éloignai de la glace afin
de procéder à un examen de tout le corps.

Les vêtements masquaient le jeu des lignes et la
répartition des masses. Je les enlevai. Une fois nue, je
m'étonnai de paraître si vulnérable. La rondeur des
seins amenuisait mes épaules et mes hanches plutôt
fortes. Sous le bas-ventre, une orchidée sombre for-
mait une tache que je couvris de mes mains. Je me
tournai de profil. Les cuisses étaient fermes, la taille se
démarquait bien de la cambrure du bassin. Mais, dans
l'ensemble, je ne me trouvais rien de très attirant.

Le miroir prenait la voix de ma mère et susurrait:
«Tu es molle et flasque.» Mon seul atout était d'avoir
seize ans. L'examen, fait de cette façon, ne m'apprenait rien de nouveau.

Je finis par fermer les yeux. Accrochés au visage
comme deux demi-lunes, ils éclairaient l'intérieur du
corps, guidant mes doigts qui avaient commencé à pal-
per le grain lâche de ma peau. Mes mains glissaient

vers les hanches et hésitaient avant de se croiser au-
dessus du ventre d'où montait une menace encore
jamais ressentie. J'en étais maintenant sûre. Quelque
chose se trouvait là qui n'y était pas auparavant. J'aurais voulu revenir au stade où rien n'avait commencé,
où rien n'avait germé. Mais la vie avait fait son œuvre.

Tout à coup, je comprenais qu'aimer est le plus
vague et le plus vaste des mots. Et je me sentais très
lasse et très seule. En me retournant vers le miroir, je
vis que j'avais le teint brouillé des femmes piégées par
la vie. Découragée, j'allai m'allonger sur le divan et
sombrai dans la plus totale prostration. Une sonate de
Mozart filtrait à travers le plancher et m'engluait
davantage dans la langueur débilitante qui s'était em-
parée de moi.

«Il faudrait bouger un peu, Dominique, tu te lais-
ses aller», disait en moi une voix que je ne parvenais
pas à faire taire. À la maison, on ne cessait de me le
répéter, et je répondais par un haussement d'épaules.
Leurs récriminations se butaient à une indifférence
dédaigneuse dont j'avais si longtemps travaillé à durcir
la carapace qu'elle finissait par coller à ma peau
comme un gant. On s'en approchait, flairant les replis
cachés où les tissus se faisaient plus minces et, une fois
sûr de m'atteindre, on me décochait une flèche que je
regardais venir sans broncher. Un sifflement d'air
effleurait mes tempes. Le projectile ratait sa cible et
s'abattait sur un meuble ou un bibelot. Ma mère, qui
était la plupart du temps l'instigatrice des attaques,
s'affaissait comme si elle avait reçu l'arme en plein
cœur. Elle geignait:

— On n'en fera jamais rien de bon!

L'eau achevait de bouillir. Je bus un café et me sentis mieux. J'étais bientôt en mesure de former une pensée claire. Ma décision était prise: je ne dirais rien à ma mère. Lorsque je l'eus au bout du fil, je lui expliquai que j'étais chez une amie, que j'avais besoin de réfléchir. J'insistais sur la nécessité de l'isolement. Elle me répondit calmement comme si rien ne s'était passé entre nous. Nous nous comportions comme deux dames distinguées qui échangent des amabilités après être restées plusieurs jours sans nouvelles.

Son ton, détaché et mondain, laissait entendre qu'elle ne m'entretiendrait ni de mes études ni des siennes. Ma mère avait étudié chez les Ursulines. Elle appartenait à cette génération de femmes pour qui le cours classique avait servi de pâture. Elle disait «mon Bac», en serrant les lèvres, comme elle eût dit mon collier, mon chat, ou bien ma robe.

— Le Conservatoire, tu y penses toujours?

— Je pourrais?

— Si tu obtiens ton certificat.

Cette promesse ne l'engageait à rien. Elle savait que je ne l'obtiendrais jamais. Jusqu'à maintenant j'avais encaissé échec sur échec, et seuls les changements d'institution avaient réussi à me propulser d'un niveau à l'autre. Une nouvelle duperie n'était plus possible. Ma mère s'y attendait, mais elle possédait l'art de remettre à plus tard les choses qui lui déplaisaient.

— T'as pensé à préparer un rôle pour l'audition?

— Fanny me tenterait.

— Du Pagnol, c'est démodé.

— Et si je prenais un auteur d'ici?

— Cherche plutôt dans le répertoire classique.

— Antigone?

— T'as pas la taille.

— Andromaque?

— T'as pas la voix.

— Marianne, alors.

— Peut-être. Mais je te verrais plutôt en Dorine.

Ma mère me croyait juste assez douée pour jouer les boniches. Peut-être avait-elle raison. Elle ne manquait jamais de lucidité à mon égard. Elle en avait même trop. Cet excès de clairvoyance me paralysait. Pour l'instant, Andromaque ou Marianne, ça m'était bien égal. Je ne pensais pas au théâtre. Ma mère non plus.

Je restai deux jours enfermée dans la pièce rose vif, sans sortir, sans aller dans les rues blanches et calmes du Vieux-Montréal. Puis subitement, je décidai de ne plus porter seule le poids de ma détresse. J'irais apprendre la nouvelle à Stéphane.

Je m'habillai à la hâte et courus vers la première bouche de métro. Les stations défilaient, et je sentais ma gorge se rétrécir sous la poussée du cœur qui y battait ses coups. J'essuyais mes mains moites sur le blouson de Jean-Claude et je fermais les yeux, essayant de reconstituer un à un les traits de Stéphane. Ils se brouillaient jusqu'à le rendre méconnaissable. Sa bouche flottait dans un visage qui n'était pas le sien. Même la couleur de son regard avait changé. Je ne retrouvais que les épaules solidement plantées au-dessus de son corps d'athlète, et sa façon d'enfoncer les mains dans ses poches tandis que vous le regardiez et qu'il cherchait à se dérober.

L'édifice cruciforme aplati sous le ciel bas de novembre bascula dans la fenêtre panoramique de l'autobus. J'étais arrivée. Je m'efforçai de regarder les lieux avec détachement, comme une touriste blasée qui a déjà visité la moitié du monde et ne s'attend plus à rien découvrir. Les termites avaient presque déjà fini de gruger la neige fraîchement tombée dont il ne restait plus que des lisières sales et pâteuses. Un sommeil de mort enrobait cette amature de fer et de béton dressée en plein champ comme une excroissance futuriste. Sur les côtés, les voitures des professeurs alignées sur les parkings semblaient être figées là pour l'éternité.

Afin de m'arracher à cette torpeur paralysante, je me remémorais des comptines anciennes auxquelles je prêtais un rythme enjoué. Mettant tout en œuvre pour oublier que j'étais venue rencontrer Stéphane, je me représentais le professeur d'histoire et son exubérance passionnée. J'imaginais le professeur de physique en train de persuader ses élèves de l'importance de Roemer. Je regardais défiler les grosses lunettes du

conseil d'administration, les mini-jupes des secrétaires, la petite verrue du directeur. Je disais:
— Bonjour, comment allez-vous? — Très bien
merci, ça pourrait être pire. — Dommage, la neige est
presque déjà fondue.

Une porte cédait, poussée par une horde échevel-
lée. Des balles de neige mêlées de boue commencèrent
aussitôt à siffler au-dessus de ma tête. J'attendais la
sortie des grands, observant avec attention les cigaret-
tes qui s'allumaient. Agrippée à la poignée de la porte,
je prenais garde de me laisser rejeter sur les bords.
J'étais prête à bondir sur Stéphane dès qu'il apparaî-
trait. Sa tête de grand coureur de moto passa le seuil.
Je me jetai sur lui.
— Stéphane, je me suis fait avoir.
— Par qui?
— Par la vie.
— Parle clairement.
— Je suis enceinte.
— T'es sûre?
— Oui.
— Tu t'es peut-être trompée.
— Non.

Il alluma une cigarette sans m'en offrir. Un rictus
amer, déformait ses lèvres. Il avait son air des mauvais
jours. J'étais sûre qu'il avait envie d'enfoncer son
poing quelque part.
— Mais dis quelque chose.
— Bof.

Ce bof était concluant. Il n'y voyait pas plus clair
que moi, et cette nouvelle l'embêtait. L'athlète se

dégonflait à l'instant où j'aurais aimé qu'il se laisse
aller à des considérations profondes sur la maternité,
me donne des conseils, s'apitoie sur mon sort. Il n'en
fit rien. De toute évidence, cela le concernait peu. Son
égoïsme me révoltait. Même s'il ne sentait pas vibrer sa
fibre paternelle et ne se voyait pas en train de pousser
le landeau dans les plates-bandes de la termitière, cet
enfant était tout de même le sien.

Serge nous avait rejoints. Avec lui, c'était le trian-
gle parfait. Il survenait toujours à contretemps. Je
redoutais trop ses sarcasmes pour le mêler aux confidences. Il ne nous racontait jamais ses aventures, sans
doute parce qu'il était assez débrouillard pour éviter
les embêtements. Il passa les doigts dans sa mèche de
cheveux châtains, et se mit à fumer en silence avec Stéphane. Je me sentais un insecte ridicule et honteux,
portant une larve grosse comme une tête d'épingle qui
se mettrait bientôt à grossir de façon scandaleuse.

Ce n'était sans doute pas très original. C'est probablement toujours ce que ressentent les filles lorsqu'elles se font attraper par une grossesse accidentelle.
Je détenais tout de même une supériorité sur les insectes vulgaires. Leurs femelles ont des larves qu'elles
reconnaissent à peine, contrairement à la reine termite
qui s'attache à sa progéniture dès le premier instant et
bénéficie d'avantages exceptionnels. Elle peut confier
le soin de ses enfants aux ouvrières, et se contenter de
les guider à distance de façon télépathique.

Malheureusement j'étais un termite de basse
classe, et notre termitière ne dispensait pas ce genre de
service. Je ne savais donc pas comment j'arriverais à

m'en tirer. Ni comment je supporterais les crampes qui me faisaient rendre deux fois par jour ce que je n'avais pas mangé.

J'avais froid. Ils proposèrent d'entrer à la cafétéria, presque vide, dont les bancs et les tables étaient alignés comme un réseau de voies ferrées promettant un voyage vers l'inconnu. Je me dirigeai vers le distributeur automatique et touchai la case Pepsi. À peine avait-il enregistré mon choix, que l'eau gazeuse emplissait mon verre de son gargouillement roux. Avant de boire j'appliquai le gobelet contre mes tempes, résolue à profiter de ce bien-être passager.

Eux discutaient comme s'ils eussent porté seuls le poids de l'école.

— Bande de caves. C'est pas avec un conseil étudiant qu'ils vont changer le système.

— T'as pas confiance?

— Si t'as quatre mille fourmis dans un bocal, penses-tu que trois ou quatre peuvent le faire éclater?

— Ça dépend.

— Accouche.

Sous la table, je donnai un coup de pied à Stéphane pour lui rappeler que, des trois, j'étais la seule qui courait des risques d'accouchement. Il continua de disserter comme s'il n'avait pas été touché.

— Les fourmis, ça dépend si elles sont dehors ou dedans.

— Le conseil étudiant, tu le places où?

— Ni en dehors ni en dedans.

— C'est pourquoi c'est de la foutaise. On leur fait croire qu'ils sont dedans.

Stéphane n'en démordait pas. À le voir s'enflammer pour son idée, j'avais le sentiment qu'il se lancerait un jour en politique ou chercherait des évangiles à divulguer.

— On pourrait quand même essayer, insistait-il.
— Essayer quoi?
— De changer quelque chose.
— Comment?
— En formant des comités.
— Ma parole, t'es aussi cave qu'eux autres.

Ils ne comprenaient pas que la termitière était solide, et ne permettrait jamais à des meneurs de la saborder. Par ses antennes secrètes, elle aurait vite fait de les repérer et de les plier à sa loi. Un vrai termite n'éprouve ni instinct individuel, ni sentiment personnel. Il reçoit les signaux émis par le pouvoir central et s'y soumet. En cas de danger il se porte volontaire pour aller combattre l'ennemi extérieur, tout en sachant que l'on élève un mur derrière lui et qu'il ne pourra plus jamais revenir dans l'enceinte.

J'avais fini mon Pepsi et ils parlaient toujours. Lorsqu'ils étaient ensemble, c'était quasi impossible de placer un mot. On ne pouvait jamais parler de choses simples. Ils trimbalaient toujours le système avec eux, et le démontaient pièce par pièce afin de se donner le plaisir de le reconstituer. De temps à autre, ils utilisaient un mot ronflant pour m'impressionner. Et même si le puzzle commençait à s'ordonner, Stéphane continuait de donner des coups de poing sur la table, mais Serge n'avait pas du tout l'air effrayé.

Face à moi, des signaux contradictoires avaient
été placardés sur des pancartes vertes, rouges et jaunes. Trois factions d'étudiants affichaient en vue de la
prochaine élection. Red — Ralliement des étudiants
démocrates — promettait de démocratiser le conseil
intérimaire formé dès les premiers jours. Gep —
Groupe des étudiants progressistes — affirmait la
nécessité de décloisonner l'exécutif. Enfin Ced — Cli-
que des étudiants démagogues — promettait des hot-
dogs à ceux qui avaient faim, du Pepsi à ceux qui
avaient soif, et le certificat d'études aux cancres qui ne
travaillaient pas.

Rendez-vous au local F-336, clamaient les pancartes. J'ignorais où c'était. Comme mon autobus me
déposait régulièrement avec quinze minutes de retard,
je ratais la période hebdomadaire d'information.
Ainsi, j'étais dépourvue de carte d'étudiante faute
d'avoir su à temps à quelle date je devais me la procu-
rer. Pour la même raison, je n'avais pu déguster le café
et les biscuits de la Croix-Rouge lors de sa dernière
cueillette de sang. Ce jour-là, les élèves s'étaient rués
dans le couloir dès qu'ils avaient entendu l'appel à l'interphone. «Vous êtes tous prêts à donner votre sang
pour manquer un cours», avait bramé un professeur
d'histoire des temps préhistoriques.

Le nôtre, plus moderne, encourageait l'esprit
d'initiative et favorisait les projets élaborés à partir de
documents sonores ou des coupures de presse. Un
jour, Stéphane eut l'idée de faire suivre l'exposé pré-
paré sur les débats de l'Assemblée nationale par une

séance de mime exécutée par des copains. L'un d'eux saisit l'autre au collet et l'aplatit violemment sur son siège. Quelques autres se livrèrent à des attaques vitrio-lées, puis s'épongèrent le front et se mirent à tituber entre les chaises. Un groupe s'endormit paisiblement dans un coin. Le reste des étudiants protestèrent ou approuvèrent à tort et à travers. «Qu'ils aillent donc au diable!» conclut Stéphane.

Le professeur inclina la tête avec bonhomie et féli-cita Stéphane pour la qualité de son documentaire. Étonné de se voir décerner la plus haute note accordée jusque-là, il agita les lauriers au-dessus de sa tête et courut se rafraîchir dehors, suivi de ses admirateurs.

Deux contingents d'élèves s'abattaient sur le par-quet de la cafétéria dans une rumeur apocalyptique. Aussitôt arrivés ils s'agglutinaient aux distributeurs et obtenaient, autant par des ruses de faussaires que par l'insertion de pièces de monnaie, la ration de chips et de friandises dont ils avaient besoin pour l'après-midi. Les mieux nantis se précipitaient ensuite vers le comp-toir où était affiché le menu du jour, tandis que les autres déballaient leurs sandwiches de beurre d'ara-chide ou de Paris-Pâté.

Il fallait fuir avant que les deux mille élèves du second service ne s'amènent en trombe et bloquent la circulation. Comme la cafétéria servait à la fois de réfectoire, de salle d'attente et de cour de récréation, elle pouvait nous immobiliser pendant des heures.

C'était trop de vacarme pour une femme enceinte.

— Qu'est-ce qu'on fait? demandai-je à Stéphane.

— On va manger un hot-dog chez Marie-Louise.

— T'as de l'argent?

— Serge en a.

Toujours Serge. J'aurais préféré me passer de hot-dog et rester seule avec lui. Il faisait trop froid pour aller à la roulotte. Les gars enfourchèrent leur moto et firent un démarrage foudroyant. En équilibre instable sur la selle rigide, j'absorbais les cahotements du véhicule conduit à grande vitesse. Ce sport m'était devenu intolérable. Lorsque nous coupâmes de biais dans l'entrée de Marie-Louise, des flaques de boue m'éclaboussèrent. Je me jurai qu'on ne m'y reprendrait plus.

Trois hot-dogs trempés de moutarde s'aplatirent dans nos assiettes. *Sex Shop* ébranlait le juke-box et excitait Serge qui se faisait aller les épaules dans tous les sens. Affalé sur sa chaise, Stéphane ruminait ses obsessions. Si je lui avais demandé à quoi il pensait, il aurait répondu: «À rien», comme d'habitude. C'était triste de le voir dans cet état. Le mien était encore moins réjouissant. J'aurais sûrement pleuré si Serge n'avait pas été là.

La fièvre de la discussion les avait repris. Ils se lançaient les mots comme des jongleurs se lancent des balles, reprenant toujours les mêmes, craignant d'en laisser échapper un qui pût rouler dans le vide. Ils montraient presque du doigt les chômeurs en train de prendre une bière à la table voisine.

— Ils sont pognés comme des crabes. Ils font le jeu du système.

— Les crabes c'est aussi nous, la termitière et tout le reste.

Je leur fis signe de baisser la voix, mais ils continuèrent à se gargariser de grandes phrases. Exaspérée, je lançai:

— Vous n'êtes pas au courant des dernières nouvelles. La termitière va bientôt offrir des garderies et des pouponnières.

Serge prit un air de fakir scandalisé par l'ignorance d'une inculte étrangère à la secte. Puis il ouvrit la bouche pour aiguiser une pointe acerbe.

— Ferme-la, dit Stéphane. Elle a des ennuis.

— Comment?

Je poussai mon ventre sous ses yeux et le bombai exagérément. Loin de paraître surpris, il demanda seulement:

— Qu'est-ce que t'en feras?

— Je m'en débarrasserai.

— T'es sûre?

— Absolument.

— Tu pourrais attendre un peu, suggéra Stéphane.

— Attendre quoi?

Je me mis à crier que j'en avais assez de les entendre parler du système pendant que je me débattais avec mon problème. Le système, je ne pouvais pas me payer le luxe de m'en préoccuper. Les nausées, la fatigue, mon ventre m'absorbaient. Ils me suppliaient de me calmer, disaient que c'était un accident et que ça pouvait s'arranger. Les chômeurs nous regardaient avec hostilité. Marie-Louise fronça les sourcils. Elle trouvait qu'on se faisait trop remarquer.

Serge était fils de riche. Il promit de l'argent, des adresses. Il connaissait une foule de gens capables de m'aider. Le lendemain, il téléphonerait à une assistante sociale qui s'occuperait de mon cas. «Il faut pas t'en faire, disait Stéphane, on aura le dernier mot.»

Des mots, toujours des mots. J'aurais voulu qu'il m'embrasse et me dise à quel point je lui manquais. Au lieu de ça, il fuyait dans des discours creux. J'avais eu tort de m'en amouracher. Je mettais l'amour au premier plan, lui le plaçait au second, derrière ses innombrables préoccupations.

Je repris le métro en sens inverse, marchant lourdement, écrasant des larmes sur les revers du blouson de Jean-Claude. Au-dedans de moi nous étions deux, mais je me sentais absolument seule. Une vague rancune s'emparait de moi, doublée d'un sentiment d'abandon.

Ne me sentant pas le courage de m'enfermer entre les quatre murs du salon rose, je descendis la rue Saint-Sulpice jusqu'à la rue Saint-Paul et pris vers la gauche en direction des antiquaires et des boutiques. Il ventait. L'air était froid. Je poussai la première porte.

— Qu'est-ce qu'on peut faire pour vous? demanda le commerçant qui vint à moi avec son nez ravagé de veinules pourpres.

J'avais besoin de chaleur et pouvais fort bien me servir moi-même. Une chaufferette, placée sur un vieux poêle de fonte qui faisait partie de son stock d'antiquités, lançait des lueurs rouges. Je m'en approchai alors qu'une console rocaille avançait vers moi les griffes de ses pieds à boule et qu'un ange aux ailes dorées, suspendu au plafond par un fil transparent, me jetait un clin d'œil complice.

La boutique débordait de porte-parapluies en laiton, de crachoirs bosselés, de miroirs rococo et de pots de chambre en faïence rose ou bleue. Des divans victoriens croulaient sous des amas de vieilleries ramassées dans des fonds de caves ou de greniers. J'enfonçai le bras dans un berceau rempli de colliers de verre, de peignes d'écaille, de sacs à main perlés, de poudriers d'argent, et c'est toute la belle époque qui me colla aux doigts. Dans cet amas de fastes, de dorures et de poussière, seule une vieille armoire en bois blond m'attirait. J'en demandai le prix. On me donna un chiffre exorbitant sur lequel je fis rabattre cinq cents dollars pour l'unique plaisir de marchander.

À l'extérieur, un colosse barbu collait son nez à la vitrine, paraissant s'intéresser à un moule à sucre creusé de trois petits cœurs de grandeur décroissante. J'allai vers la fenêtre. Il mit un doigt sur sa bouche et fit le geste d'y déposer un baiser. Je n'entendais pas ce qu'il disait, mais à suivre le mouvement de ses lèvres j'étais sûre qu'il disait «I love you».

Il entra, toucha chacun des cœurs et répéta sa phrase trois fois de suite, puis il éclata de rire et me prit par la taille. Je me mis aussi à rire sans trop savoir pourquoi. Il posait des questions sur les objets exposés, mais comme l'anglais n'avait jamais été ma matière forte, je répondais n'importe quoi sans qu'il y prêtât attention. Il riait toujours, et j'ignorais si ce rire traduisait une nature joviale ou un simple tic de naissance.

Il passa son bras sous le mien et ouvrit la porte. Voyant que je grelottais, il prit son écharpe et l'enroula autour de mon cou. Nous avancions sur le trottoir en frappant des pas égaux comme un vieux couple, et il racontait des choses que je comprenais à peine. Je croyais saisir qu'il venait des États-Unis et avait traversé la frontière clandestinement afin d'échapper au service militaire. Avec de grands gestes, il m'expliquait combien il aimait Montréal et les Frenchies. Trop aimable. On l'empêchait d'aller se faire sauter la cervelle au Viêt-nam, et pour nous en remercier il apprendrait à dire «Bonjour» et «Merci» dans quinze ou vingt ans.

Nous remontions vers la rue Notre-Dame. Il leva la main vers une façade que rien ne distinguait des autres, et je ne compris pas l'insistance qu'il mit à pointer une fenêtre du deuxième étage. Nous traversâmes la rue et passâmes une porte qui donnait sur un escalier poussiéreux. Sur le palier éclairé par une 15 watts, une autre porte s'ouvrit. En un rien de temps j'étais débarrassée de mon blouson, poussée vers le lit recouvert d'un plaid rouge, invitée à boire un fond de bouteille. Je vidais mon verre, et il répétait: «Very good» en se tapant les cuisses. C'était comme un refrain incantatoire dont les effets agissaient lentement. J'oubliais que j'étais enceinte d'un enfant dont personne ne voulait.

Il vint s'asseoir à mes côtés, et j'eus à peine le temps d'apercevoir le drapeau aux cinquante étoiles fixé au vasistas, qu'il me renversa. Il était sur moi. Le lit oscillait dans un mouvemement de roulis et de tangage qui faisait gémir le vieux sommier à ressorts qui nous portait. L'homme paraissait dans la trentaine, mais il était encore plus expéditif que Stéphane à ses débuts. Très vite, son corps s'abattit contre moi dans un grand fracas de chairs flasques. Il râla un dernier spasme, et je n'avais ressenti aucun plaisir. *Sweet heart, that is the way to make love.*

Allongé contre moi, il me lissait le ventre en répétant «Very good». Enfin il se tut et resta immobile. Je pus me détacher de lui et suivre le parcours de la moto imaginaire qui traversait la ville en cahotant à la façon de la Honda. D'instinct, je revenais vers la roulotte où les cigales faisaient la fête. Stéphane et moi allongions nos ailes de lumière, et nous nous aimions d'une manière qui enchantait le paysage.

Un coup de klaxon me fit sursauter. Je me soulevai et regardai l'homme, affalé sur le plaid rouge, qui macérait dans sa sueur. Il empestait l'ail et la toison mouillée. J'étais dégrisée. Le cœur sur les dents, je me levai et enfilai mes vêtements. Je l'entendis me dire que j'étais «big». Il venait de s'en apercevoir.

Son visage de gros enfant bouffi s'assombrit. Comme il ne voulait pas d'histoires, il me tendit un billet de vingt dollars. C'était quatre fois le prix d'un taxi. Une tornade secoua la fenêtre et me rendit un peu plus lâche. Le givre commençait à couvrir les vitres. La température avait dû baisser au-dessous de zéro. J'enfonçai le billet dans mes poches et me précipitai dans l'escalier. En quelques minutes, j'étais chez Jean-Claude. Il me vit entrer et ne me posa aucune question.

Je fis couler l'eau dans la baignoire et commençai à me frotter vigoureusement avec un gant de crin pour extirper toute trace de l'Américain sur mon corps. Je me demandais ce qui avait bien pu me pousser à le suivre. Un trou de mémoire dans le meilleur des cas. Dans le pire, une faiblesse congénitale. «La vraie tante Carmelle», disait souvent ma mère. Je n'avais pas connu cette tante aux mœurs légères qui s'était mise sur ses vieux jours à faire pousser des citronniers et des élasticus carbonicus dans son minuscule trois pièces de la rue Saint-André.

Des remous âcres montaient du fond de ma poitrine comme si un fruit mauvais demandait à être rejeté. Je m'y essayai mais comme rien ne vint, j'avalai un demi-verre d'Eno et me replongeai dans la baignoire. Tandis que je faisais mousser le savon sur mon ventre, le vent roulait ses tornades sur le toit. Il se calmait pendant un bref moment, paraissait se déplacer, puis revenait ébranler la cloison à laquelle j'étais appuyée. La charpente du bâtiment craquait. Je croyais la maison arrachée à ses fondations et me cramponnais à la baignoire. Des nœuds papillons étreignaient ma gorge. Je levais les yeux vers les carreaux de la fenêtre, étonnée de les voir intacts.

Rassurée, je continuais de siphonner l'eau entre mes cuisses, et il me semblait que mon ventre grossissait à vue d'œil. J'écartais les bulles colorées afin de toucher la peau marquée de stries mauves enrobant la fleur cachée qui poussait sa germination à l'intérieur de mes flancs. Je ne possédais rien de ce dont s'enorgueillissent habituellement les femmes enceintes: un époux aimant et travailleur, un bungalow posé sur un tapis de verdure, des fleurs, des chats, des gravures accrochées aux murs. Mon dénuement était total. Je n'avais pas non plus l'âge où l'on s'obstine à croire que la venue d'un enfant apportera la mesure parfaite du bonheur.

Jean-Claude frappait à la porte de la salle de bains en élevant la voix. «T'as une visite!» Je me demandais qui ça pouvait bien être. Sûrement pas Stéphane. Il était d'humeur trop massacrante pour venir prendre de mes nouvelles. Je m'asséchai, enfilai le peignoir marron suspendu derrière moi et me peignai en vitesse. Une dame plutôt jeune se tenait debout dans la grande salle, les bras chargés de sacs de provisions. Elle me dit que quelqu'un avait téléphoné et demandé que l'on s'occupe de moi.

Serge avait joué au bon Samaritain. Il avait dû lui laisser croire que j'étais sur le point de mourir de faim. Elle étalait sur le divan une masse de produits dont elle soulignait les mérites, m'expliquant avec conviction les vertus du foie de veau, des épinards, de la levure de

bière, du blé entier et du yaourt. Elle recommandait les
repas à heure fixe, la sieste du midi, les promenades au
grand air, s'adressant à moi comme si j'eusse été une
jeannette d'un camp scout.

Je la laissai terminer son discours. Lorsqu'elle
s'aperçut que je n'écoutais pas, elle alla déposer les ali-
ments sur la table et se retourna.

— Vous avez avisé vos parents?

— Je retourne à la maison dans deux jours.

— D'ici là, vous vous occupez à quelque chose?

— Bof.

— Vous lisez?

Je fronçai les sourcils pour laisser entendre que
cela m'ennuyait. Elle se déplaça aussitôt sur un autre
front.

— Vous écoutez un peu la radio?

— Non.

— Alors qu'est-ce que vous faites?

— Je dors. Je mange. Je regarde les pigeons.

— C'est tout?

— À peu près.

— Vous vous appelez comment?

— Jeannette.

— Ma petite Jeannette à compter de maintenant,
on change de programme. Venez me donner un coup
de main.

Je ne bougeai pas. Elle enleva son manteau et ran-
gea elle-même ses trouvailles. Puis elle se mit à récurer
les assiettes et les marmites empilées dans le lavabo.
Assise derrière elle, je l'observais. Elle plongeait ses
deux bras dans l'eau savonneuse, remuait la vaisselle

dans un clapotis mousseux qui éclaboussait le parquet. J'examinais sa coiffure légère, ses hanches minces, et je me disais qu'elle devait, de nous deux, paraître la plus désirable. Sa distinction avait, par rapport à ma situation, quelque chose de choquant. Elle marquait la distance qui sépare la réussite de la médiocrité. Comprenant que ce fossé ne serait jamais comblé, je lui en voulais d'être venue m'en imposer l'évidence.

Elle essaya de relancer la conversation, mais je ne fis rien pour l'aider. Même si mes réponses à ses questions n'avaient ni queue ni tête, elle ne se laissait pas décourager, revenant à la charge avec une persévérance exemplaire. Cette femme devait passer sa vie à secourir des imbéciles. J'étais la proie toute désignée pour ce genre d'apostolat.

Assis dans la berceuse, Jean-Claude avait commencé à gratter sa guitare. L'assistante sociale nota qu'il avait du talent, puis me demanda s'il était un parent. Je rétorquai que c'était un cousin, mais que je ne courais aucun risque parce qu'il n'était pas un homme à femme.

Tout en répondant que c'était dommage, elle tapait mon beefsteak avec le bord d'une assiette, puis m'expliquait comment apprêter la viande afin de lui conserver toute sa valeur. Ses mots entraient par une oreille et sortaient par l'autre. Depuis mon accident, j'étais de moins en moins carnivore. Elle changea de sujet, commença à parler de la vie, du respect qu'on lui devait. J'éclatai de rire. Je répondis que la vie me paraissait bien capable de se débrouiller seule, qu'après tout elle ne nous demandait pas notre avis avant d'apparaître ou de disparaître.

Jugeant cette position extrémiste, elle me tendit un yaourt que je repoussai. L'idée de manger encore m'était devenue insupportable. Il y avait quelque chose de répugnant à se gonfler comme des outres pour mieux crever ensuite.

Elle achevait le sien avec lenteur, tentant par tous les moyens d'éveiller en moi un reste de conscience. Elle semblait ignorer qu'il n'y avait aucune commune mesure entre son enthousiasme et mon apathie. Elle était du côté des gens respectables, j'étais du côté des insectes. Je ne fis pas les frais de lui expliquer la différence qu'il y avait entre un humain et un termite. Elle n'aurait pas compris. J'allais plutôt m'allonger sur le divan et dis à voix suffisamment haute pour qu'elle m'entende: «Mon fœtus aussi est un termite.»

Elle me regarda comme si j'étais devenue folle, mais n'en dit rien. Un raidissement pinça les ailes de son nez. Elle se mit à observer la pièce avec suspicion, cherchant à vaincre la peur qui s'élevait en elle. L'ombre grandissante de la pièce dessinait sur le parquet des formes étranges sur lesquelles la berceuse de Jean-Claude appliquait son mouvement de pendule. Mais toutes ces figures s'arrêtaient au seuil de la chambre des maîtres. Au-delà, le vide et le silence annonçaient la fin d'une journée morne.

Des pas résonnaient dans le couloir. Un homme en paletot gris entra sans enlever son chapeau et salua la femme.

— Vous connaissez l'artiste qui habitait ici avant vous?

Elle indiqua au visiteur qu'il devait s'adresser à Jean-Claude. Mon cousin fit signe que non. L'homme ouvrit son carnet et inscrivit la réponse.

— Il n'a pas laissé d'adresse?

Jean-Claude haussa les épaules. L'homme écrivit quelques mots dans son carnet, puis réajusta son chapeau et ajouta ses commentaires:

— Ces peintres sont invivables. Ils vont, viennent. On ne sait jamais où ils sont rendus.

— C'est peut-être pas nécessaire de les suivre.

— C'est ce que vous croyez? Et comment peut-on fermer les livres, à l'hôtel de ville, avec tous ces comptes d'eau qui traînent?

— Laissez-les ouverts et laissez l'eau couler.

— Si on vous écoutait, la vie serait belle.

Lui aussi parlait de la vie et se mêlait de la gérer. Le monde était rempli de gens qui ne cessaient de l'ordonner, de l'administrer, de l'étouffer. Le carnet ouvert devant moi était rempli d'actes suicidaires. Ce petit fonctionnaire à la mine grise n'avait pas dû quitter souvent le sol ferme de la logique au cours de son existence. Un éclat de rire fendit ma gorge. Il regarda la femme et eut un sourire complice.

— Elle est drôle.

Je laissai le rire s'épuiser dans ma bouche. L'homme attendit un instant, puis inclina la tête et sortit.

La porte d'entrée se referma. Inquiète, la femme regarda sa montre et annonça qu'elle devait se rendre à une conférence. Je lui remis son manteau, ses gants, son sac. Elle prit encore le temps de me prodiguer quelques conseils, me laissa son numéro de téléphone et me recommanda de l'appeler en cas de besoin.

Nous savions toutes les deux que je n'en ferais rien.

V

J'avais roulé mes manches.

Je lavais, décantais, récurais. Je détruisais les nids de poussière, arrachais les toiles d'araignée et jetais par la fenêtre les mouches endormies dans les placards. Je faisais place à de nouvelles poussières, imitant ma mère qui effaçait toute trace de souillure afin de mieux cerner ses rêves qu'elle finissait par confondre avec le vide déplacé par ses doigts.

J'étais plongée dans cette activité dévorante lorsque j'entendis des voix familières sur le palier. Jean-Claude ouvrit. Je lançai mes torchons en l'air et courus me jeter dans les bras de Stéphane. Je palpais son front, ses joues, sa poitrine. Il avait mauvaise mine. Ses yeux étaient plus sombres que jamais. En vingt-quatre heures, il avait réussi une dégringolade spectaculaire.

— Qu'est-ce qui se passe?

— Le système, ça peut plus durer.

— Tu pourrais pas cesser de penser au système?

— Non.

— Écoute. Moi, le système, je m'en balance.

— Tu penses pas ce que tu dis.

— J'ai cessé de penser. C'est mauvais pour la santé.

— T'as remplacé ça par quoi?

— Par ça.

Je pointais le torchon du doigt. Je voulais le choquer et l'obliger à sortir de son enfer. Serge passa une main dans sa belle chevelure lisse et eut une moue dédaigneuse. À ce moment, sa tête de gars bien élevé m'exaspéra plus que jamais. J'eus soudain envie de lui planter mes griffes quelque part. Je fis le geste à moitié. Jean-Claude cessa de gratter sa guitare et vint se placer entre nous. Ce fut lui qui attrapa le coup.

Stéphane était venu faire le point sur ses préoccupations, et non faire l'amour. Si on acceptait de continuer à laisser fonctionner la termitière, disait-il, on acceptait du même coup notre anéantissement. Il fallait choisir entre le silence ou le scandale. Par le silence, on se faisait complice de la prolifération des insectes. Par le scandale, on pouvait créer un impact propice à la révision du système.

— Un système, une fois lancé, c'est une mécanique qui fonctionne toute seule. Si personne l'arrête, ça continue.

— Tu penses pouvoir l'arrêter?

— On est quatre.

— Là-bas, ils sont quatre mille.

— Quatre morts peuvent parler plus fort que quatre mille vivants.

— Qu'est-ce que tu veux dire?

Il ne répondit pas. Serge paraissait comprendre. Lui et Stéphane se regardèrent. Une lame aiguisée comme un poignard me traversa le dos. J'eus tout à coup peine à respirer. Je retrouvai mon souffle et leur dis que ce n'était pas possible, qu'ils étaient devenus fous, qu'ils se prenaient pour des héros de films policiers.

Jean-Claude n'avait pas perdu son calme. Il vivait maintenant en solitaire mais il avait déjà roulé sa bosse aux Indes et aux États-Unis où il avait connu l'extase supérieure, voyagé dans l'acide, vécu en communauté, mélangé les filles, échangé les drogues. Il leur conseilla d'attendre. Il était d'avis qu'il fallait y repenser à froid.

Une fois ceci dit, il chaussa ses babouches marocaines, alla dans la chambre des maîtres où je n'avais encore vu entrer personne, et revint en mâchonnant le bout d'une minuscule cigarette. Il nous en tendit une semblable à chacun.

— Fumez, ça vous mettra d'accord.

J'avais souvent vu les termites griller ces petits bouts de papier un peu partout dans les couloirs et les coins sombres, mais je ne savais trop ce que c'était et, autant par indolence que par dédain, ne me pressais pas de l'apprendre.

Serge ouvrit son briquet et nous alluma. Je tirai la

première bouffée. Le goût était terrible. Je devais grimacer d'horreur. Jean-Claude m'encourageait. Il parlait avec la voix du sage qui a reçu la mission d'initier son disciple.

— Tu es sur un voilier. Tu attends le vent pour prendre le large. Il passe. Tu le saisis avec ta bouche et le conduis à tes poumons.

J'avalais de la fumée et du vent à en perdre le souffle. Ma salive s'asséchait. Je suffoquais, secouée par une toux âcre qui brûlait la gorge. Jean-Claude me faisait signe de continuer. Il élargissait sa cage thoracique, la maintenait gonflée pendant quelques minutes, puis la laissait s'aplatir tout à fait. Il avait bientôt terminé sa cigarette, alors que je ne réussissais pas à rien inhaler.

Sûre que je n'expérimenterais ni la débauche des sens ni l'anéantissement dans le nirvāna suprême, je perdis patience et abandonnai mon mégot à Jean-Claude qui s'empressa de le ranimer. Il triturait la cendre entre ses doigts, guettant sur mon visage les signes d'une félicité nouvelle.

— Tu sens quelque chose?

— Rien.

De son côté, Serge paraissait mûr pour l'extase. Il arpentait la salle en sollicitant ses perceptions. Son visage avait la gravité des statues antiques. J'attendais le récit de ses états d'âme, mais il ne disait rien.

Assis par terre, Jean-Claude nous persuadait que des dessins psychédéliques s'animaient sur le mur qu'il fixait. Certaines lignes, selon lui, doublaient l'épais-

seur de leur tracé, faisaient éclater la fixité du cadre
qui les délimitait et se répandaient dans l'espace en
variations dont l'ampleur progressait. Je le suppliai de
décrire les formes qu'il apercevait, mais il demeura
frappé d'impuissance, comme si ce qui liait ses fantas-
mes à la réalité empruntait à une essence supraterrestre
incommunicable. Cette féerie dura peu. Il vit bientôt
les motifs trouer le mur et s'y engouffrer. Il déplaça
son regard. Les visions disparurent et ne revinrent pas.

Je ne connus pas ces promesses de départ. Mes
yeux s'empêtraient sous l'arcade sourcilière, recou-
verts d'une pellicule floue qui inclinait au sommeil. Je
me sentais hors des choses et protégée de leur atteinte.
Une torpeur vague m'envahissait. Tout m'était égal et
rien ne me concernait. Stéphane aurait pu crier dans
mes oreilles. Je l'aurais à peine entendu.

Plus tard, on me demanda de marcher et je m'exé-
cutai sans enthousiasme. Aucun effort ne me tentait.
Ma démarche était flottante. Mes pieds rejoignaient à
peine le parquet qui s'inclinait au fur et à mesure que
j'avançais vers ma chambre.

— Tu te sens partie?
— La chambre m'entoure plus que jamais.
— Mets-y un peu de bonne volonté.

J'en mettais. Afin de tromper les lois de la gravi-
tation, je faisais les cent pas autour du lit en essayant
de substituer des lignes courbes aux lignes droites.
Mais rien n'éclatait. L'espace restait cohérent, fermé
sur sa solidité. Le monde était resté si pareil à lui-
même que ça me paraissait drôle.

Le fou rire me fit basculer sur le lit. Stéphane s'allongea à mes côtés, et tout se ramollit sous ma peau et dans ma tête. J'entendais la fille du locataire d'en dessous bûcher ses gammes, et je savais qu'elle s'arrêterait brusquement sur le *la* avant d'attaquer la sonate de Mozart pleine de brio et de frémissements que je connaissais par cœur tant elle la répétait souvent. Je me disais que je devais prendre des notes, essayer de fixer sur le papier les impressions qui ne manqueraient pas de surgir. Mais la musique couvrait mon corps d'ondes soyeuses qui se répandaient dans une vibration à peine sentie au creux des reins, et je ne levai pas le petit doigt.

Collée à Stéphane j'attendais, remplie d'émerveillement, de le voir entrer en transe. Des déclarations enflammées m'auraient fait chavirer dans l'au-delà du rêve. La tête posée sur son bras, j'entendais le tic-tac de sa montre contre mon oreille, et les notes du piano prenaient le rythme d'un cœur qui bat.

— Tu m'aimes toujours?

Il ne répondait rien. J'écrivais la question sur le carnet posé près de moi, puis je cherchais la phrase qui m'avait traversé l'esprit l'instant d'avant. Je n'arrivais pas à la rattraper. Cet effort m'épuisait. Il m'empêchait d'écouter l'allegro qui coulait du clavier, escaladait le mur, déversait sur le lit ses coulées d'arpèges dans lesquelles clapotaient des accords étouffés. La voix de Stéphane épousait la musique.

— Des lignes dansent sur un écran. Elles sont fines, toutes de même couleur. Elles portent les arpèges, s'effacent et disparaissent.

— Tu vois des couleurs?

— Seulement deux à la fois. Des lignes noires sur du rouge. Du rouge sur du noir. Maintenant beaucoup de vert. Du noir et du vert. Du bleu et du noir.

— Comment tu t'y prends?

— Ferme bien les yeux. Couvre tes paupières avec tes doigts, et presse-les fort pour brouiller les couleurs.

— Je ne vois rien.

— Presse davantage.

J'appuyai davantage les doigts, et une lumière éblouissante se répandit sur un écran lumineux vaste comme une aurore boréale. Les couleurs se multipliaient, empruntaient des formes extravagantes qui étaient aussitôt balayées par d'autres. J'énumérais à Stéphane tout ce que je voyais, même si les visions étaient la plupart du temps indescriptibles. Je tentais de les nommer toutes, mais je n'arrivais jamais à tout dire. Souvent les objets n'avaient d'ailleurs pas de nom dans notre langue.

J'étais toujours en retard sur l'image et la couleur. Ainsi quand je disait vert, le vert avait été remplacé par du bleu, puis par du mauve ou du violet. Désespérée, je faisais de grands gestes pour tout expliquer à Stéphane qui s'était perdu dans ses visions. Ma main, devenue pâteuse comme ma voix, s'élargissait en éventail et se refermait pour s'ouvrir aussitôt. Je ne la voyais plus, mais je la sentais. Je savais qu'elle ondulait ou se durcissait selon que je décrivais un palmier ou un rocher. Le temps avançait et les images trouaient la pupille, contournaient l'iris, disparaissaient derrière l'arcade sourcilière ouverte à ce qui venait s'y déposer.

À demi assoupie, je continuais d'énumérer:

— Je vois des lapins, des canards. Une troupe de petits canards en marche.

— Tu es folle.

— Ils avancent pourtant. Comme des petits soldats. C'est fini. Ils sont partis.

En bas, le piano s'exaspérait. Ses staccatos fouettaient l'écran de lignes pointillées qui formaient un cadre flou autour des images. Les lignes se rompaient, et la musique jaillissait de partout. Les mots n'arrivaient plus assez vite. Ils s'émiettaient entre mes dents, et cela me faisait rire. Je disais: «C'est plein de kaléidoscopes, de copes, de shopes. Un charivari. Un chat... un ri... un k...».

Stéphane ne voyait pas ces images. Il s'emporta. «Tu ris trop.» Il ne saisissait pas le ridicule de l'affaire. On passe sa vie à apprendre des mots, à les écrire, à les répéter. Et quand vient le temps de les utiliser, on se retrouve comme dans un film de Chaplin, en train de vouloir saisir une chose qui file vers l'arrière alors qu'on la croyait devant soi.

Je riais et les éclats de rire emplissaient la chambre. Mon dos s'arc-boutait. Mes pieds battaient l'air. Ce rire pouvait me tuer.

Tandis que le mot *mort* trottait dans ma tête, je voyais défiler des cortèges de cadavres posés sur des litières blanches entourées d'hommes et de femmes qui frappaient dans leurs mains. C'était une nuit de grande noirceur. Stéphane et moi, nous nous perdions dans la foule sans nous y fondre. Nous traversions le même ennui, la même détresse. J'eus subitement peur.

— Stéphane, querelle-moi.

— Comment?

— Très fort.

Il commença. Je l'entendis d'abord assez peu. Ses mots s'entassaient dans mes oreilles comme de la ouate. Je percevais un peu de bruit, un bourdonnement lointain derrière une vitre. Mais la rumeur se précisait. Les mots devenaient durs et grinçants. «Tu n'es qu'une bonne à rien. Une bonne à rien. À rien.»

Je le suppliais de se taire, mais il continuait de répéter le même refrain en martelant ses mots de plus en plus fort. Sa bouche menait un fracas d'enfer. Le cauchemar s'amplifiait. Je poussais des hurlements de bête. Bientôt, un dernier souffle s'exhalait de ma poitrine. On m'allongeait à mon tour sur une litière, couverte d'un voile que s'arrachaient des araignées de mer.

J'avais les yeux fermés, et je savais que je ne devais pas me rendormir. Sinon on appellerait une ambulance et on me conduirait à l'hôpital où je serais dégrisée à coups de valium. Un poing heurtait le parquet. Jean-Claude se précipitait dans la chambre. Nous faisions trop de bruit. Les locataires d'en bas menaçaient de se plaindre au propriétaire et de nous faire expulser.

«Écoute, souffla-t-il doucement à mon oreille. C'est fini. Le voyage est terminé. Il n'y a plus de mer, plus de voilier, plus d'images. Ouvre les yeux et regarde-moi.» J'essayais de lui obéir, mais je sentais bien que je ne pouvais décider de la fin du voyage tant c'était encore le voyage qui me menait. Un tremblement me prit. Puis je ressentis un grand vide. Une grande absence. Comme si j'étais encore à une trop grande distance de mon corps, et que je n'arrivais plus à me rejoindre.

Un visage se pencha sur moi.

— Tu t'orientes?

— Non.

— T'es dans la chambre.

Je palpais le matelas comme pour en retrouver les dimensions, l'épaisseur. Lentement, je redécouvrais mes mains, mes bras, mes jambes. Je tournais la tête avec effort. Mes yeux se réhabituaient à la lumière. Il me semblait que j'étais à l'hôpital, en train de récupérer après une anesthésie générale.

L'idée me déplut. Je voulus me lever.

— Allons, dit Stéphane. Recouche-toi. T'es dans la chambre.

C'était vrai. J'étais dans la chambre. Je reconnaissais la femme nue de Picasso, le désordre des magazines et des journaux. Je voyais la fenêtre, la table, les pots de gouache sur le plateau de bois.

— Ça va mieux. Je te vois et je vois la chambre.

— Où est la droite?

— Là.

Son pouce glissait le long de mon poignet et cernait les battements du cœur au creux de l'artère. Ma tête éclatait. Mon corps était lourd et une grande fatigue m'accablait. Il me donna le bras et je pus me lever, traverser la chambre. L'appartement m'apparaissait différent. Dans la pièce principale, les portes et les fenêtres paraissaient avoir changé de sens.

Le lendemain, assis par terre sur une large couverture, nous en avons parlé. Je me tenais adossée au mur pour ne pas sentir l'inclinaison du parquet qui aurait pu me faire repartir en voyage. Je me sentais vide, égarée. Ce ratage éveillait de vieilles blessures, la peur du noir, le désir de m'engouffrer dans un sommeil éternel.

Et dans ma lassitude, je regrettais les anciennes révoltes, les embêtements quotidiens qui vous gardent en éveil. Eux n'avaient pas fait le voyage. Ils échangeaient leurs impressions.

— Ça désamorce.

— C'est voulu par le système.

— Une fois que t'es dedans, c'est fini. Tu cesses de te préoccuper du reste.

Jean-Claude mis à part, on était d'accord pour ne plus recommencer. On trouvait que l'expérience n'en valait pas le coup. Du cinéma, on était capable de s'en faire tout seuls. Voir palpiter un grain de raisin ou faire parler un pépin de pomme ne m'avait jamais répugnée. Des images, j'en avais déjà créé des cent fois plus belles et des cent fois plus délirantes à partir de rien.

De temps à autre, j'allais rencontrer Stéphane et Serge au casse-croûte de Marie-Louise. Elle pressait le service car elle n'aimait pas voir flâner les jeunes dans son restaurant. Elle trouvait que cela nuisait à la réputation de son commerce. Les chômeurs nous prenaient pour des gens instruits et nous regardaient de travers. Pour eux, on était des bons à rien nés dans la ouate, des faiseurs de trouble qui ne cessaient d'aboyer pour des vétilles.

Lorsque Stéphane proposa d'aller à la roulotte, je fus plutôt lente à me lever. Le froid n'avait pas cédé. Je me demandais ce que nous pourrions y faire.

La moto faisait trop de bruit pour que je puisse lui parler. J'avais l'impression de le perdre un peu plus chaque jour. Il s'était prêté à un envoûtement qui demeurait étranger à l'engagement cherché, ces évangiles auxquels il voulait croire, ces grandes causes qu'il souhaitait servir avec empressement et désespoir. Je ne pouvais satisfaire une telle exigence. J'étais une fille ordinaire. Une fille médiocre qui attendait des bonheurs simples.

Je regrettais d'avoir eu la faiblesse d'accepter une fois de plus une telle équipée. Mon ventre absorbait chaque bosselure de la terre gelée. Je perdais l'équilibre. «Patience, disait Stéphane, on sera bientôt rendus.»

Il stoppa le moteur, et je fus étonnée de la profondeur du silence. Les oiseaux avaient émigré. Les grillons et les cigales étaient probablement tous morts ou endormis. Il n'y avait plus aucune tache de lumière dans la grisaille du paysage. Seules quelques traînées de neige blanchissaient les alentours de la roulotte.

Stéphane m'aida à descendre et demanda de l'attendre à l'extérieur. Il revint, portant une carabine au bout du bras. C'était la première fois que j'en voyais une de près. Il m'en expliqua le maniement et, lorsqu'il crut que j'avais saisi, alla se placer à une cinquantaine de pieds d'un bouleau et appuya sur la gâchette. L'arbre fut touché. Il continua de tirer jusqu'à ce qu'une trouée verticale perfore le tronc de l'arbre.

Il passa ensuite l'arme à Serge. Cinq balles bien frappées tracèrent une ligne horizontale sur l'écorce. J'avais mal pour l'arbre. Cet exercice me répugnait.

— C'est ton tour. Frappe au milieu.

— J'ai jamais tiré.

— Appuie la crosse contre l'épaule, place le guidon vis-à-vis de la cible et déclenche.

Mes mains tremblaient. L'arme était lourde. J'avais peur d'appuyer sur la gâchette, de bouleverser un ordre que je n'arriverais plus à rétablir. Un coup partit et me secoua de la tête aux pieds. Le bouleau resta intact. J'avais mal visé. Je raffermis mon bras et appliquai le guidon juste au centre de la croix tracée sur l'arbre. Un deuxième coup claqua. J'avais seulement éraflé l'écorce. Stéphane m'obligea à recommencer jusqu'à ce que j'aie frappé juste.

J'ai dû tirer huit ou dix balles sans m'arrêter. Le désir d'atteindre la cible finissait par surpasser la peur. Je m'habituais à la violence du choc qui ébranlait le bras et se répercutait dans la poitrine. Un oiseau volait

vers nous. J'ajustai mon tir. Stéphane m'enleva la
carabine des mains et tira à bout portant. Une masse
chaude s'abattit sur moi. Je poussai un cri. L'oiseau
était par terre. J'avais honte et, en même temps,
j'éprouvais une exaltation étrange. Sans carabine,
nous n'étions rien. Avec cette arme, nous avions subitement droit de vie et de mort sur toute chose.

Une sorte de délire joyeux s'empara de nous. Stéphane rechargea l'arme, et on se mit à tirer sur tout ce
qui pouvait nous servir de cible. Une vieille carcasse de
voiture nous amusa pendant longtemps. Au chant
d'*Alouette*, on déplumait le fer de ses gadgets. Un D-C
8 vola en éclats, puis un aigle impérial, puis un cerceau
où trébuchait une danseuse sur patins à roulettes. Une
fois rendus à «je te plumerai les pieds», on cessa de
rire. Il ne nous restait plus de balles.

Entre nous planait comme un secret. Ils échan-
gèrent un regard complice, puis Stéphane s'essuya les
mains sur son jean. Il prenait son temps. Sans me
regarder, il dit:

— C'est pour demain.

— Demain?

— Oui. Ça fera réfléchir les gens.

— Qu'est-ce que tu veux faire?

— Abattre le directeur.

— T'es fou?

— J'ai jamais été aussi normal.

— Compte pas sur moi.

— C'est plus facile de viser un homme que de
viser une hirondelle.

Son plan avait été mis au point avec Serge. On se lèverait une heure plus tôt que d'habitude et on prendrait le premier autobus scolaire afin d'être sur place avant tout le monde. On se rejoindrait à côté du gymnase et on irait se cacher derrière un talus à l'extrémité du parking. De là, on verrait arriver le directeur. Serge devait tirer les deux premières balles et remettre l'arme à Stéphane qui commanderait le reste des opérations.

J'étais sûre qu'ils étaient devenus fous. J'essayais de les persuader qu'on ne peut ainsi jouer avec la vie des gens. Mais ils n'entendaient rien.

Stéphane parlait avec précipitation. Il disait que le moment était venu de nous sacrifier pour le bien du plus grand nombre. Notre geste aurait un sens parce qu'il nous impliquerait jusqu'au bout. À gauche du talus, nous trouverions un sentier conduisant à une clairière inconnue de tous. Serge et moi, nous nous placerions face à Stéphane qui pointerait l'arme en notre direction. Puis il l'appliquerait ensuite sur sa tempe droite et déclencherait le dernier coup.

J'entendais parler de mort et j'avais déjà cessé de vivre. C'était à une étrangère que l'on s'adressait. Dominique P. n'était plus de ce monde. Elle y avait été mise par hasard et elle en repartirait par erreur. Ce n'était pas possible qu'on lui demande une chose pareille. Elle avait toujours été nulle en tout, mais elle avait cru en l'amour et elle y croyait encore. Elle refusait de se porter volontaire pour un acte meurtrier.

Stéphane ouvrit son canif et appliqua la lame sur son poignet. Serge releva sa manche et fit de même. Je reculais, incapable de supporter la vue du sang. Ils me regardèrent avec mépris. Finalement, je m'avançai et présentai le bras. Une rosace rouge fleurissait la neige devant nous. Par ce pacte, l'âme de Stéphane possédait la mienne comme elle ne l'avait encore jamais fait. Je ne m'appartenais plus. Sa volonté me forcerait à accomplir ce que je refusais.

Serge disparut et Stéphane ouvrit la roulotte. Malgré le froid, je m'allongeai sur le divan. Il s'agenouilla à mes côtés et posa ses lèvres sur mon ventre, y dessinant une croix identique à celle qu'il venait de tracer sur l'arbre. Notre enfant se trouvait inclus dans son projet démentiel. Nous lui apporterions la mort avant même de l'avoir connu. Tout était trop absurde. Je regardai le sexe gonflé de sang qui venait à moi, et je retrouvai le cri de notre première rencontre.

Il me couvrit. Pour la première fois, il me prit avec douceur. Mais il était trop tard pour revenir à la tendresse. Si la carabine avait été chargée, c'est à ce moment que j'aurais décidé d'en finir.

Au retour, j'eus peine à détacher mes yeux des rails du métro. Cette fosse puant le cadavre en décomposition pouvait contenir le scénario cruel qui s'était imprimé dans ma mémoire. Ce gouffre déjà creusé pouvait d'un coup abolir le temps, introduire une séparation définitive entre Stéphane et moi.

J'eus malgré tout le courage de revenir à l'appartement. Aussitôt entrée, je m'effondrai sur le lit de camp, pensant: mon enfant avait deux mois hier, il a maintenant cent ans. Et je restai ainsi, immobile, étonnée d'être là, épuisée de devoir y être encore.

Inquiet de me voir dans cet état, Jean-Claude tentait de me dissuader d'accomplir cet acte. Il disait: «C'est clair que tu n'as pas la force. Il faut renoncer.» Je le renvoyais, décidée à rejoindre Serge et Stéphane à l'heure convenue.

Le pacte du sang brûlait mes veines. Seule dans la chambre, je repérais le réseau bleu sur le poignet et remontais jusqu'à la veine maîtresse où la mort se conjugue à la vie. Je lissais ses algues palmées comme pour en vérifier la résistance. Je mesurais du même coup ma lâcheté. Mes seize ans m'incitaient à faire marche arrière. Ils me ramenaient au soleil, à la mer, à l'insouciance de l'été. Ils m'offraient le bonheur comme une sécurité perdue, longtemps cherchée et enfin retrouvée.

Je finis par succomber à la tentation d'oubli. Je glissai dans la douceur des draps et plongeai dans un bien-être sans fond. Le sommeil m'enveloppait. J'oubliais tout. Mon supplice était terminé.

Cette paix dura peu. Je bougeai, et il y eut comme un vide, soudain, autour de moi. Était-ce la neige qui fouettait le vitrail, ou un bruit de projectile qui déchirait l'air? Quelqu'un tombait. Des pleurs et des cris montaient d'en bas. Grand-père venait d'être atteint par une balle, et tous protestaient que le destin le frappait injustement.

Je me bouchais les yeux et les oreilles pour ne plus rien voir et rien entendre. J'avais peu connu cet homme qui, lorsqu'il nous rendait visite le dimanche, me remettait des bâtons de réglisse en cachette afin que ma mère n'en sût rien. Il m'offrit un jour une poupée qui savait saluer et remercier. Toujours aimable, il était sensible aux formules de politesse. Il tenait à ce qu'on l'appelle Monsieur le juge même quand il ne portait pas la toge et le tricorne.

L'âme de grand-père pleurait dans le noir, et je croyais que c'était la mienne. Je pensais à tous les morts que j'avais connus dans ma vie, que je n'avais osé approcher, et j'étais sûre qu'il était plus facile d'appuyer sur la gachette que de toucher un mort du doigt. Serge et Stéphane avaient raison de vouloir tirer à distance.

J'étais maintenant tout à fait éveillée, craignant de me rendormir, de retomber dans le même rêve, ou un autre encore plus terrifiant. Je guettais les bruits. J'épiais les ombres. La pièce était plongée dans le noir. Dans cette chambre glacée, j'aurais aimé que quelqu'un vienne, me prenne dans ses bras et me porte loin de cette ville, loin de tout, dans un lieu totalement introuvable.

À la fin, je me recroquevillai sur moi-même et finis la nuit dans une sorte d'ébriété fiévreuse. Bientôt, les cloches de l'église Notre-Dame sonnèrent l'angélus. Je mis un pied à terre. Tous mes os craquaient. Je fis l'effort de me lever, de m'habiller. Le plus difficile restait à faire.

Je descendis sans allumer. J'avais besoin de foncer les yeux fermés. Un coup de vent s'engouffra dans la bouche de métro et me poussa vers la première rame. La cohue m'en fit sortir. Je me demandais où allaient tous ces gens, quelle urgence pressait cette foule qui avait toute la vie devant elle.

À la sortie, j'aperçus une cabine téléphonique et eus envie d'appeler mes parents pour prendre de leurs nouvelles. La sonnerie retentissait dans le hall désert. Finalement ma mère dit «Hello» d'une voix brumeuse qui me reprochait d'avoir interrompu son sommeil. Je déposai le récepteur sans rien dire.

Serge avait emballé la carabine dans du papier journal. Il se tenait avec Stéphane contre le mur extérieur du gymnase. À distance, ils me firent signe de les suivre.

Une neige fine était tombée pendant la nuit, rendant visible la trace de nos pas. À la moindre maladresse, nous serions tout de suite repérés. Mes jambes étaient molles. Je traversai le parking avec peine. J'aurais voulu fuir, mais ils comptaient sur moi pour reconnaître le directeur.

— Le directeur!

Serge raidit le bras et essaya d'épauler, mais la carabine retomba sur le papier journal. Ses mains tremblaient. Elles tâtonnaient autour de la gâchette et se fixaient au cran de sûreté. Le directeur avait eu le temps de disparaître derrière une porte. Serge était blanc comme un mort. Sa tête de beau garçon se décomposait à vue d'œil. Stéphane lui arracha l'arme des mains.

— Tu l'as raté. On va se reprendre.

La termitière se réveillait. Les insectes entraient et sortaient par toutes les ouvertures, rendant presque impossible le choix d'une cible. J'ai dit à Stéphane de tirer sur un lampadaire mais il a refusé. Il fixait la ligne de mire avec obstination, et moi je gardais les yeux rivés au sol. L'agonie de grand-père recommençait.

N'en pouvant plus, je m'allongeai sur le papier journal, les bras repliés sous le front. Une sonate de Mozart s'échappait du clavier de la rue Saint-Sulpice et roulait sur mes tempes brûlantes. Des coups partaient. Je relevai la tête. Un corps vêtu de noir s'écroulait au bout du parking. Avant sa chute, ses bras s'ouvrirent pendant quelques secondes et formèrent une croix devant le bouleau blanc.

Ensuite le lampadaire éclata, puis je n'entendis plus rien. Mais déjà, dans ma tête en feu, l'acte d'accusation était dressé. Et la défense, à peine crédible, se déroulait comme sur une pellicule cinématographique.

— Monsieur le juge, je jure sur mon honneur que je ne connaissais pas cet homme. Ça pouvait être un membre du conseil d'administration, ou Roemer, ou le professeur de physique. À la termitière, on est tous semblables. On a tous une petite tête d'insecte avec un numéro collé dessus. Vous ne connaissez pas le système? Les termites ne peuvent garder leur nom ni aucune idée personnelle. Lorsque ça leur arrive d'en avoir, ils choisissent de mourir afin de sauver l'espèce.

— Vous saviez que l'arme était chargée?

— Je n'ai pas vérifié.

— Vous en auriez été capable?

— Peut-être.

— Alors pourquoi ne l'avez-vous pas fait?

— Je ne sais pas, votre Honneur.

Sans penser, je racontais tout. La croix aperçue, terrible, qui nous a suivis jusqu'au ruisseau vers lequel nous courions. Nous nous sommes allongés par terre, et elle était toujours là. Ma peur augmentait. Je pense que j'ai crié. Stéphane m'a dit de me taire. Au même moment, il a regardé Serge et appuyé sur la gâchette.

Les coups refusaient de partir. Alors il s'est mis à agiter la carabine dans tous les sens. Lorsque j'ai vu Serge porter la main à son front, je me suis jetée contre lui et Stéphane a cru que j'étais touchée. Il a aussitôt appliqué le canon de l'arme sur sa tempe droite, mais l'arme s'est désamorcée. Les balles roulaient dans la neige et il les ramassait une à une. C'était long. Je croyais mourir.

Finalement, un coup retentit. Le dernier homme tomba à ma droite. L'agonie de Stéphane commençait. Il avait une main agrippée à la carabine, et l'autre repliée sur la poitrine. Son silence était effrayant. Je lui ai arraché l'arme et il a commencé à ramper dans une traînée de sang. Je n'avais plus de voix. Mais je lui criais que je l'aimais, que c'était notre dernière chance, qu'il ne devait plus tenir compte du serment.

Enfin, il s'est arrêté. Je me suis approchée, et j'ai mis ma main sur son épaule. Ses yeux étaient grand ouverts. Je l'ai supplié de prononcer un mot. Pour toute réponse, une de ses bottes s'est mise à bouger.

— Vous n'avez rien d'autre à ajouter?

— Non, votre Honneur.

— Alors poursuivez.

— Il a tiré sur un bouleau.

— Pourquoi?

— Parce qu'il avait l'habitude.

— Il n'a pas tiré sur la victime?

— Je suis toujours vivante, votre Honneur.

— Répondez à ma question.

— Les trous étaient noirs et rapprochés. Ils brillaient comme des étoiles. Ils formaient une croix. Il y en avait cinq dans un sens et sept dans l'autre.

— On a repéré seulement deux trous de balles sur le bouleau.

— C'est impossible, votre Honneur.

— Continuez.

J'hésitais, ne sachant plus quoi ajouter. Je sentais que tous ces mots étaient inutiles. Mais le juge s'impatientait.

— Ensuite?

— Ensuite, je me suis mise à courir. Vous ne savez pas ce que c'est, votre Honneur, des pieds morts qui bougent sur de la neige. Vous n'en avez jamais vus.

Je crus indispensable d'ajouter que nous avions voulu empêcher la prolifération des insectes, que lui-même refuserait d'être gouverné par une espèce qui ne respecterait ni son titre ni sa toge. Et pour conclure j'avançai que lorsqu'il allait manger des cuisses de grenouilles au restaurant il utilisait le rince-doigts, alors que lorsqu'il condamnait un humain, il ne prenait pas cette précaution parce qu'il savait faire la différence entre un humain et un insecte.

Quand j'eus finis ma déposition, le greffier hocha la tête. À l'hôpital, où je fus transportée par deux agents de police, j'eus le temps d'en donner une autre version. On fit remarquer: «Elle est une comédienne née!»

Je n'avais pas fait le Conservatoire ni les grandes écoles de Lettres, mais j'ambitionnais d'écrire. Je dissimulais sous les couvertures le cahier qui me sauverait la vie. Et une fois les lumières éteintes, l'étage endormi, je poursuivais le récit commencé là-bas en m'éclairant d'une lampe de poche.

Votre Honneur, la termitière est toujours debout et le lampadaire a été remplacé, mais je suis encore terrorisée par la lumière. Je fais horreur aux vivants, et les morts me rejettent parce que j'ai rompu le pacte du suicide. J'étais pourtant une fille bien. Grand-père m'avait appris à dire bonjour, et ma mère me préparait un grand mariage. Je savais faire mes gammes. Je maîtrisais convenablement la bicyclette, la natation, la grammaire. J'aurais pu faire un succès de ma vie.

Mais j'avais une imagination débordante, et l'on préférait les idées reçues. Stéphane est mort, Serge est mort. Je plaide coupable. Je n'aurais jamais dû commencer à écrire ce récit. Il m'incrimine. Il nous incrimine tous. Le temps est venu de placer le mot FIN au bas de la page. C'est démodé. Je m'en excuse. J'ai appris à me méfier de tout ce qui était à la mode.

Dans la salle de bains blanche où il était interdit de rester plus de cinq minutes, je faisais des bulles derrière le rideau tiré. J'étais calme, conciliante. On disait: «Elle fait des progrès. Elle finira par se placer.»

Stéphane, gravement blessé, occupait une chambre avec Serge dans l'annexe voisine. Au bout d'un certain nombre de jours, on l'autorisa à me rendre visite. Il entra, un pansement au front, maladroit sur ses béquilles. Nous avions dix minutes à passer ensemble. Il tira de sa poche une feuille minuscule où était écrit un poème, et me la tendis. En le lisant, je vis dans une même image l'homme écroulé sur le parking, le dommage fait à nos corps, la blessure irréparable.

Peut-être voyait-il la même. Nous eûmes au même instant un léger tremblement des lèvres. Et nous fîmes le même geste de regarder la fenêtre couverte de soleil. Le bonheur était impensable. Mais en nous il y avait cette souffrance, cet élan de vie tenace, fragile, seule connaissance qui nous restait de tout ce que nous avions appris ou refusé d'apprendre.

La rencontre suivante se fit dans le taxi qui nous conduisit au palais de justice pour l'interrogatoire.

Serge était assis à nos côtés, et les parents suivaient derrière. Le temps était gris. L'édifice était de même couleur. Nous gravîmes en silence le large escalier qu'empruntent chaque samedi les couples qui choisissent le mariage civil. Puis nous traversâmes l'aile B du rez-de-chaussée et prîmes l'ascenseur pour atteindre l'aile F du troisième étage. Une fois là-bas, nous nous écroulâmes sur l'un des bancs alignés de chaque côté du long couloir où résonnaient les messages de l'interphone.

Après plusieurs heures d'attente, nos noms furent prononcés. Je fus la dernière à franchir la porte de la salle d'audience. Le juge assis à la tribune ressemblait à mon grand-père. Je prêtai serment. Il procéda à quelques formalités, puis me regarda et dit: «Nous vous écoutons. Dites tout ce que vous savez.»

Je tirai de ma poche le cahier à tranche rouge et commençai d'une voix égale: *Stéphane était le seul garçon que je connaissais dans la classe.* Puis je marquai une pause afin de m'assurer que l'on m'entendait. Car je craignais d'avaler mes mots comme d'habitude.

Postface

Qui a connu l'austérité des collèges, les couloirs encaustiqués des couvents, les escaliers en bois craquant balayés par les jupes noires, l'heure d'étude dans la lumière d'ambre des classes et les modulations de grégoriennes voix mesurera mal sa fraternité avec les étudiants vaincus d'avance que Madeleine Ouellette-Michalska met en scène, têtes d'épingles affublées d'un numéro-pseudonyme engagées dans un combat absurde avec le Système. Si la civilisation peut s'enorgueillir de quelques belles trouvailles comme la sieste ou les poivrons au basilic, en matière de réforme scolaire elle semble n'avoir encore rien compris du tout. Persécutées, dit-on, asservies et mises à rude épreuve dans les établissements d'enseignement religieux — où il faut bien admettre que sous l'oppression l'on nous donnait tout de même une culture générale —, les victimes révoltées des clercs se sont ingéniées à mettre au point la parfaite antithèse de ce qu'elles reçurent. Elles ont créé un univers monstrueux, plus incertain encore d'être au fond sans surprise, ou des kilomètres de galeries envahies par des insectes robotisés reproduisent le réseau géométrique, mathématique, hostile et sec d'une administration orwellienne, chiffrée et occulte. Disparues les notions de maître et d'apprenti: elles sont remplacées par celles — du reste interchangeables — d'agresseur et de proie. Comment, dans ce cas, ne pas être en perpétuelle contravention?

Dans une telle guerre, il n'y a pas de concordance entre combattants, tout a lieu au sein d'un puissant désordre, sans direction ni stratégie. Comme chez les termites, le travail de destruction se fait insidieusement, mais systématiquement et de l'intérieur. L'école est un amas de machines distributrices qui crachent sans distinction savoir et mépris, les étudiants des termites gobeurs de croustilles Chips et de formules creuses qu'ils ne s'efforcent pas de comprendre, les profs des termites fonctionnaires «coincés entre des recyclages obligatoires et des déclassements automatiques» ânonnant ces mêmes formules creuses qu'ils ne se donnent pas la peine d'expliquer. Tour à tour victimes et victimaires, ceux qui enseignent et ceux qui sont enseignés se débattent comme ils peuvent dans un conflit grand-guignolesque, s'opposant d'abord entre eux, puis solidairement et démocratiquement au Système qui, de toute façon, ne sait pas isoler un termite de l'autre.

Sur cette toile de fond, Madeleine Ouellette-Michalska fait évoluer deux personnages centraux, Stéphane et Dominique, dont il ne faut pas s'étonner qu'ils soient sans exaltation et même sans espoir. Au nom d'un égocentrisme nouveau et sans noblesse, on leur a appris, paradoxalement, à ne même plus savoir qui ils sont. On s'est contenté de les bousculer en les chronométrant dans une série de mécanismes où ils ont acquis des réflexes de rats captifs. Ni les parents «qui [payent] des taxes et [entendent] en avoir pour leur argent» ni l'administration scolaire qui huile ses rouages à même le cerveau brut de sa clientèle ne sauraient se préoccuper de donner à cette matière première de l'avenir que sont les jeunes une direction, une conception de la vie, du savoir et du monde qui les rendraient aptes à engranger eux-mêmes leur plénitude. Que leur reste-t-il alors, à eux si «avides d'aventures et de départs, d'excès tués par la monotonie des heures», sinon la révolte ou la fuite? Dominique s'échappe dans l'écriture clandestine, puisque c'est là que «quelque chose de magique [se produit]», et dans ses rencontres amoureuses avec Stéphane où elle découvre «qu'aimer est le plus vague et le plus vaste des mots» et où elle apprend, lucide, à composer avec l'égoïste vanité du mâle. Quant à Stéphane, il fonce devant lui sur sa moto, «avalant les rues dans un sifflement d'air qui [perce] les oreilles», avant de succomber à la violence. Ambivalente séduction où se confondent chez le garçon le désir de se «sacrifier pour le bien du plus grand nombre» et celui d'attirer l'attention sur son propre désarroi, comme s'il croyait naïvement possible de se relever ensuite d'entre les condamnés, d'entre les perdus, pour apprécier l'impact du geste accompli.

Dans *La Termitière* de Madeleine Ouellette-Michalska le crépuscule tombe vite sur nos illusions. L'anorexie y est générale. C'est un roman de l'impasse et de l'inaccomplissement, de l'aliénation et de la corruption qui dépose en nous un sentiment de honte et le germe d'une leçon de morale. Qu'on le veuille ou non, *quelqu'un* ne doit-il pas être tenu responsable du nihilisme dont ces adolescents sont victimes? *Quelqu'un* n'a-t-il pas conçu la termitière où ils se débattent en vain? *Quelqu'un* n'aura-t-il pas contribué à les priver du goût obstiné de la vie qui est le propre de l'homme, pour les plonger dans des stupeurs amorphes ou encore éveiller chez eux des pulsions de violence et de révolte?

Ces existences mutilées, soumises à des conditions dérisoires et, qui sait, inéluctables, ces jeunes sans autre vigueur que leurs passions en désordre, l'auteur les aborde d'une manière directe par le regard lucide de Dominique, sans complaisance et même sans ironie. Si elle ne les maîtrise pas encore tout à fait, Madeleine Ouellette-Michalska révèle néanmoins déjà dans ce roman les qualités de rigueur et de style qui se sont affermies dans ses œuvres postérieures et qui ont fait d'elle l'un des écrivains les plus importants et les plus universels du Québec actuel.

MARIE JOSÉ THÉRIAULT

Choix de critiques sur
La Termitière

Les termites sont des insectes vulgairement appelés fourmis blanches, qui vivent comme la fourmi en société et rongent les pièces de bois par l'intérieur. Chaque colonie de termites a une femelle féconde (reine), des ouvrières et des soldats (stériles) et un mâle ailé.

Par analogie, ce mot évoque tout rassemblement de personnes vivant dans un milieu qui tue toute personnalité. Il était facile alors, pour Madeleine Ouellette-Michalska de l'appliquer à une polyvalente de 4 000 élèves où l'étudiant n'est plus qu'un numéro bien inscrit sur une fiche bien cataloguée, perdu dans l'anonymat quasi nécessaire d'une foule amorphe.

Parmi ces animaux encore raisonnables, les uns — et c'est la presque totalité — acceptent béatement leur sort, les autres en prennent conscience pour le dénoncer. Leur devise pourrait se lire ainsi: JE CROIS EN L'HOMME. Parmi ces derniers, deux jeunes de 17

ans, dans le livre de notre auteur, Stéphane et Dominique, se révoltent contre le Système en provoquant le
meurtre de plusieurs personnes à la termitière. «Si on
acceptait de continuer à laisser fonctionner la termitière, dit Stéphane, on acceptait du même coup l'aboli-
tion de l'individu. Il fallait choisir entre le silence ou le
scandale. Par le silence, on se faisait complice de la
prolifération des insectes. Seul le scandale pouvait
créer un impact propice à la révision du système».

[...] Le livre décrit une jeune fille de 17 ans,
Dominique, à qui, tout d'un coup, un adolescent du
même âge, Stéphane, révèle brutalement la réalité
d'une première relation sexuelle. D'abord traumatisée
par l'attaque sauvage, la jeune fille en vient bientôt à
être fascinée par son mâle. Tout au long du livre, ser-
pente cet amour de plus en plus profond qui voudrait
être exclusif, loin de la révolution polyvalentine.
Dominique croit en l'amour qui est sa raison de vivre.
Si elle suit Stéphane dans sa rébellion, c'est par amour
pour lui: elle est la victime de Stéphane.

Stéphane, «un gars mystérieux et sauvage»,
«d'une force arrogante» est un dur, lui. Il ne sait pas
aimer. Ses relations sexuelles avec Dominique ne sont
qu'un exutoire, un dérivatif de son trop-plein de sang
et de vie. Ce que veut Stéphane, c'est entraîner la jeune
fille, non pas dans les régions éthérées de l'amour,
mais dans la révolution. À ce compte, elle sera sa par-
tenaire. Autrement, non! Dominique ou une autre,
peu importe! «L'engagement qu'il cherchait, dit l'au-

teur, se situait bien au-delà de l'amour». C'est tout juste si Stéphane se déplace, une nuit, pour aller dépanner Dominique prise dans une situation tragique, en lutte contre sa mère. Et quand la jeune fille est par lui enceinte, cela ne le concerne pas! Il y a en lui cette puissance, irraisonnée, absolue, de tant de jeunes actuels qui entendent sortir de leur milieu en le détruisant, qui se gargarisent de mots, dont l'intérêt n'existe que pour une société plus juste qui défendra les droits imprescriptibles de l'individu.

J'ai dit «irraisonnée». Ni Stéphane ni Dominique ne cherchent à savoir, à expliquer, sinon à justifier, ces écoles actuelles monstrueuses où des milliers de jeunes barbotent comme des numéros dans d'innombrables couloirs, étiquetés, non avec des mots qui signifieraient quelque chose, mais avec des lettres de l'alphabet: A, B, C, etc. Mais n'est-ce pas précisément le fruit de la «démocratie de l'enseignement»? Et si ces numéros ne recevaient aucun enseignement, quel tollé n'entendrait-on pas? Ils jugeraient la société aussi sévèrement qu'ils jugent les professeurs qui sont lâches devant les élèves, n'exigeant d'eux ni discipline ni devoirs. Stéphane accuse et Dominique suit! Leur seule solution est de se mettre en évidence par un acte absurde, destiné à attirer l'attention sur les stupidités du Système. Donnent-ils quelques éléments positifs d'amélioration? Non! La termitière se referme sur elle-même après les accusations uniquement verbales de Dominique devant son juge.

[...] Ce livre possède une valeur certaine par son style, sa langue. J'ai admiré en particulier, dans la dernière partie, la description de l'ensorcellement par la cigarette magique [...]

Il faut admirer le style de ce livre. Madeleine Ouellette-Michalska écrit dans un français d'une belle pureté: le contraire la crucifierait. Quel délice que ces paragraphes si parfaitement venus, où les nuances les plus subtiles de la pensée s'expriment avec une précision remarquable.

PAUL GAY,
Le Droit

☐

L'auteur peut [...] faire se superposer harmonieusement le réel apparent et le rêve éveillé.

RÉGINALD MARTEL,
La Presse

☐

Comme chacun sait les cégeps sont des lieux de savoir et de faire savoir pour une jeunesse brillante qui ne demande qu'à s'exprimer. Hélas, l'écriture n'étant pas le fort d'une génération vouée à la télévision, le microcosme que ces écoles représentent n'est guère représenté au sein de notre littérature. Il y aura, du moins, un témoignage puisque Madeleine Ouellette-Michalska a brisé la barrière du silence cégépien pour publier [...] *Chez les termites*, lequel a pour lieu d'action un cégep et pour héros des cégépiens aux prises avec la découverte des libertés.

La liberté, comme chacun sait, commence par le sexe. Ne voyons donc aucun hasard dans le fait que les pages de ce petit livre s'ouvrent sur la défloration d'une jeune vierge par un jeune fanatique de Honda. Cela fait, tout peut commencer. D'ailleurs, ainsi que le déclare l'élément actif de cette initiation en deux minutes: «comme tu vois, on n'en meurt pas.»

Quand à la sacrifiée, si elle s'étonne que l'acte sexuel ne soit pas une «rencontre mystérieuse qui se serait révélée à elle lentement et l'aurait remplie d'un bonheur exceptionnel», elle a du moins la satisfaction d'être sur la bonne voie pour devenir une fille «moderne et délurée». Une vraie cégépienne, quoi!

[...] L'essentiel de ce récit est une sorte de confession qui nous raconte les émois et les découvertes d'une très jeune fille. Tant mieux, d'ailleurs, car l'auteur a beaucoup de verve et, plus particulièrement, un sens de l'humour très sûr qui l'empêche de tomber dans de la complaisance vis-à-vis d'elle-même. Certes, l'héroïne a ses crises, mais elle se regarde vivre en souriant et l'on peut classer comme de la bonne littérature tous les passages où elle s'amuse, avec beaucoup d'intelligence et de finesse, à nous décrire son petit monde, que ce soit elle et le cégep, elle et son directeur ou, plus directement, elle et les garçons qu'elle juge avec une sévérité peu ordinaire mais avec une grâce bon enfant.

«Je connaissais peu les hommes, écrit-elle, mais je les savais avides d'oreilles complaisantes... Ils parlaient, et on n'avait qu'à les laisser faire. Il suffisait d'absorber leurs paroles, de devenir grosses de leurs idées jusqu'à en être boursouflée, et de leur en restituer une, de temps à autre, afin de ne pas avoir l'air trop bête».

Il va sans dire que la plus intelligente, c'est l'héroïne et, en fin d'analyse, on se rend compte après la lecture de ce livre, que la fille fait ce qu'elle veut et finalement se sert des garçons bien plus qu'ils ne la servent. À quelques différences près dans le comportement, l'héroïne de Madeleine Ouellette-Michalska est bien dans la tradition du roman québécois; c'est elle la maîtresse, même si les hommes aimés sont des Barbe-bleue dont «les manières brutales sont assez franches pour qu'on ne s'y laisse pas prendre». On la voit bien, cette très jeune fille, encore un peu impressionnée mais qui ne le sera pas longtemps, juste le temps d'apprendre. Ensuite attention!

L'héroïne ne trouve vraiment son charme que quand elle parle d'elle, et aussi sa vraie sensibilité. Ainsi, mise enceinte par Stéphane, «elle se sent comme un insecte ridicule et honteux». Elle ajoute: «C'est probablement toujours ce que ressentent les filles lorsqu'elles se font attraper par une grossesse accidentelle».

[...] Quant aux garçons, ils ne sont guère que des insectes ratiocineurs et au bout du compte ridicules. L'auteur est particulièrement sévère quand elle nous les montre dans ce qu'il y a de plus précieux chez un très jeune homme: la révolte. La seconde partie du livre [...] nous montre le jeune Stéphane (l'initiateur de l'héroïne) aux prises avec son idéal révolutionnaire qui est, on s'en doute, de détruire le système. L'héroïne, et par voie de fait, l'auteur, ne semblent rien comprendre à ces grandes idées. Quand les garçons parlent, elle ne sait pas «où ils veulent en venir». Elle nous assure que «quand ils étaient ensemble, on ne pouvait jamais parler de choses simples. Ils trimbalaient toujours le système avec eux et le démontaient pièce par pièce afin de se donner le plaisir gratuit de le reconstruire».

Il est vrai que la révolte adolescente contre le fameux système a quelque chose de ridicule vu de l'extérieur mais, peut-être, on aurait souhaité que les filles, du même âge que ces jeunes révolutionnaires, vivent à un même degré d'idéal et de naïveté. Il semble qu'il n'en soit rien.

[...] Madeleine Ouellette-Michalska a beaucoup de [...] verve et un sens de la critique qui ne va pas sans lucidité cruelle. [...] Elle comprend que mieux vaut en dire moins que plus. [...] Madeleine Ouellette-

Michalska est, avant tout, un auteur amusant et,
quand son rire est bien placé, elle touche au moraliste.
Ce n'est pas une petite qualité.

JEAN BASILE,
Le Devoir

□

S'il est un lieu où la contestation germe le plus
librement, ce n'est pas à l'université mais plutôt dans
les CÉGEP et les polyvalentes de la province, vérita-
bles petites sociétés nées spontanément de la réforme
scolaire et du rapport Parent. Ces termitières sont
devenues le haut lieu de la contestation de la société
capitaliste qui manipule ses membres comme du vulgaire bétail numéroté. [...]
    Il semble, d'ailleurs, que par suite de l'avènement
de la télévision, les générations d'étudiants soient de
plus en plus précoces. Dans *Chez les termites*, Madeleine Ouellette-Michalska rend compte de ce phéno-
mène. Ses deux personnages principaux, Dominique et
Stéphane, ont dix-sept ou dix-huit ans et fréquentent
une immense polyvalente où la dépersonnalisation est
à l'honneur. On se révolte quand on se sent concerné et
Stéphane se sent solidaire de l'abêtissement de ses semblables érigé en système dans l'institution scolaire.

Pour sa part, Dominique souffre de cette incompré-
hension bête mais sa prise de conscience ne va pas
jusqu'à se cristalliser en violence comme ce sera le cas
pour Stéphane. Ce n'est qu'à son contact qu'elle s'en-
gagera irrémédiablement dans une action sanglante qui
doit secouer l'opinion publique et réveiller la termitière
qui, par son assoupissement, maintient la société dans
son immuabilité encroûtante.

[...] L'attentat contre le directeur échoue et le
geste d'éclat demeure stérile. Stéphane et son ami
Serge croyaient se sacrifier pour l'avancement de la
cause. En fait, leur sacrifice ne change rien. Au contraire, il fait le jeu de l'espèce et la sauve. «Vous connaissez pas le système? Les termites ne peuvent garder
leur nom ni aucune idée personnelle. Lorsque ça leur
arrive d'en avoir, ils choisissent de mourir afin de sauver l'espèce». La mort de Stéphane et de Serge paraît
bien inutile!

[...] Cependant, *Chez les termites* décrit aussi la
crise d'adolescence de la jeunesse actuelle. Dominique
s'insurge contre le régime des polyvalentes mais elle
conteste aussi les rapports qui la lient à ses parents.
Elle s'ingénie à les contrarier. Ainsi, elle se fait faire un
enfant pour se prouver qu'elle est femme et adulte et
elle quitte le foyer familial afin d'affirmer son indépendance.

[...] Une particularité de l'écriture de Mme
Ouellette-Michalska me frappe. L'auteur emploie un
style pamphlétaire qui va droit à l'essentiel. De façon
logique, l'auteur nous projette sans transition d'une

scène à l'autre [...]. Or, il arrive aussi que les changements de scènes se fassent au moyen d'un fondu enchaîné, grâce à la description d'un rêve de Dominique. Ce procédé [...] a l'avantage de souligner la part importante de la rêverie chez l'adolescent en mutation.

CLAUDE JANELLE,
Livres et auteurs québécois 1975

☐

Il ne s'agit pas d'un livre sur les insectes, comme pourrait le laisser croire le titre. Les termites, en l'occurrence, ce sont les quatre mille élèves d'une polyvalente, numéros anonymes entassés dans les salles de cours et les cafétérias aux murs de ciment. L'auteur choisit deux de ces «numéros», Stéphane et Dominique, adolescents perdus qui vivent ensemble une histoire d'amour et de mort.

La loi de cette jungle de béton les oblige à agir en adultes durs et insensibles, alors qu'au fond d'eux-mêmes ils sont fragiles, vulnérables.

«Chez les termites», cependant, est un livre intéressant surtout par la description de l'atmosphère qui règne dans une polyvalente [...]: «L'avenir de la société reposait, paraît-il, sur nos têtes. C'était plutôt grotesque. Nous avions déjà des faces d'enterrement en octobre. Je me demandais de quoi nous aurions l'air au printemps, une fois sortis du cycle des boules à mites, de l'onguent Vic et des vitamines D.» (...) «J'enjambai le couloir de l'aile E et débouchai sur l'aile D qui me rejeta dans la section A. J'avais couru un quart de mille en six minutes.»

Ou encore: «Un calcul très simple permettait (aux professeurs) de comprendre que si l'omission des travaux devait conduire à l'exclusion, les trois quarts des élèves auraient dû être renvoyés. Ils se taisaient donc. Leur opinion ne comptait d'ailleurs pour rien. Coincés entre des recyclages obligatoires et des déclassements automatiques, ils montaient et redescendaient sans cesse les gradins d'un échafaudage à salaires fixes.»

Voilà. Il n'y a pas grand-chose à ajouter. Sinon que ce livre est sans doute destiné à ceux qui ont encore des illusions sur l'école et le système d'éducation en général.

DENISE PELLETIER,
Le Quotidien

□

Roman qui met en relief le caractère impersonnel de ces «termitières» où l'étudiant est une sorte d'insecte avec son numéro collé sur sa petite tête. La fuite effrénée hors de ce réel étouffant est une compensation aléatoire où les risques d'aliénation personnelle n'en sont pas moins grands.

[...] regard neuf de l'adolescent sur une société impitoyable, et un goût manifeste pour la fuite compensatoire dans le rêve éveillé et le voyage imaginaire.

RAYMOND LOCAT,
Le Travailleur

CET OUVRAGE
COMPOSÉ EN TIMES CORPS 10 SUR 12
A ÉTÉ ACHEVÉ D'IMPRIMER
LE TRENTE MARS
MIL NEUF CENT QUATRE-VINGT-NEUF
PAR LES TRAVAILLEUSES ET TRAVAILLEURS
DES PRESSES DE L'IMPRIMERIE GAGNÉ
À LOUISEVILLE
POUR LE COMPTE DE
VLB ÉDITEUR.

IMPRIMÉ AU QUÉBEC (CANADA)